Clásicos universales

**Teatro español
del siglo XVI**

Lucas Fernández, Torres Naharro,
Gil Vicente, Cervantes

Teatro español del siglo XVI

Sociedad General
Española de Librería, S. A.

Primera edición, 1982

862.08
T253

Director de colección: Luciano García Lorenzo
Dirección técnica: RBA, Proyectos Editoriales
Edición, introducciones y notas: Alfredo Hermenegildo

Producción: SGEL-Ediciones
  Marqués de Valdeiglesias, 5-1.º - Madrid-4
Diseño colección: Raúl O. Pane
Diseño cubierta: Raúl O. Pane

ISBN: 84-7143-247-1
Depósito legal: M.33.422 -1982
Printed in Spain - Impreso en España

Compone: ANDUEZA
Imprime: CRONOCOLOR
Encuaderna: FAESA

Sumario

Prólogo

El teatro del siglo XVI ha sido objeto últimamente de una atención poco habitual. La crítica había concentrado sus esfuerzos en torno al análisis de la producción dramática de Lope de Vega, Tirso de Molina, Calderón de la Barca y la numerosa serie de autores que poblaron con sus creaciones teatrales los tablados de los corrales clásicos. Desde hace unos años, los estudiosos han comenzado a abrir grandes interrogantes sobre el teatro prelopista, sus contenidos, sus objetivos, su público, su ideología. Y poco a poco se van perfilando las líneas de lo que fue una experiencia múltiple, pero convergente hacia una misma meta: el descubrimiento de un público vasto y políticamente interesante, al que había que acercarse y con el que había que simpatizar para, finalmente, poderlo controlar.

El teatro prelopista es variado en sus tendencias y en sus realizaciones. Desde los balbuceos escénicos de Encina, Fernández y Sánchez de Badajoz, hasta la magna obra dramática cervantina, la escena renacentista en lengua castellana pasó por las experiencias del teatro cortesano de Gil Vicente y Torres Naharro, el uso del juego dramático como vehículo pedagógico en los colegios y universidades o como instrumento de catequización en el reino de Valencia, la utilización de los tablados como medio de poner en tela de juicio las bases políticas de un sistema en que la monarquía absoluta oprimía las voluntades, el contacto teatral con las costumbres populares de los jugosos pasos ruedescos, etc. La variedad de los experimentos y de las tendencias oculta una constante profunda: la búsqueda de un público de teatro capaz de dejarse influir y, al mismo tiempo, de funcionar como masa políticamente eficaz.

Encina, Fernández, Torres Naharro, el teatro universitario y de colegio, los trágicos de fin de siglo, el teatro catequístico, todos tienen como receptor del mensaje un público cerrado y,

7

en cierto modo, cautivo. Hay que añadir que ese público cerrado era políticamente poderoso (nobles e intelectuales, sobre todo), pero que era fundamentalmente poco numeroso. Es decir, la experiencia teatral prelopista vive en unos medios generalmente limitados en número.

Estos escritores van descubriendo poco a poco las *virtudes* del teatro de masas. E intentan conquistar esas muchedumbres. Es el sentido que tienen las experiencias dramáticas de los trágicos finiseculares. Pero su propia ideología no iba en la misma dirección que la que el poder trataba de imponer desde arriba.

A partir de los años de 1580, cuando la clase política dominante descubre la eficacia del teatro como vehículo propagandístico del sistema, el estado hace una verdadera nacionalización de los corrales, los controla y los reglamenta, dando así principio a la gran aventura del teatro lopesco. Hasta entonces el poder había ignorado el teatro, porque éste vivía alejado de la gran masa. Cuando el teatro abandonó a su público cautivo perdió la posibilidad de ser instrumento de liberación para caer en manos del poder. Por eso tiene tanto interés el estudio del teatro prelopista: porque respira, en general, un aire de libertad que no existe en la gran comedia nacional.

En este volumen hemos reunido cuatro ejemplos de otras tantas experiencias dramáticas. Los tres primeros, el *Auto de la Pasión,* de Lucas Fernández; la *Comedia Himenea,* de Torres Naharro, y la *Tragicomedia de don Duardos,* de Gil Vicente, son obras cuyo probable destinatario era el público cortesano, civil o religioso, de los palacios ducales salmantinos, eclesiásticos romanos o reales portugueses. Los tres autores, de los principios del siglo XVI, viven al servicio de las clases dominantes y proponen modelos ideológicamente marcados por la noción de libertad. *La destruición de Numancia,* de Miguel de Cervantes, en los finales del proceso evolutivo que lleva a Lope de Vega, es un canto a la libertad de una colectividad amenazada de extinción. Es la dramatización del proceso de toma de conciencia del deber colectivo frente a la agresión del poderoso. La anécdota superficial que oculta la estructura profunda era una llamada vigorosa a la conciencia de una España oficial dominadora y destructora de las minorías. El teatro cervantino, y *La destruición de Numancia* no fue excepción, no llegó a establecer contacto con el gran público. La barrera ideológica que separaba el quehacer teatral de Cervantes de la comedia lopesca fue motivo suficiente para que el experimento cervantino quedara marginado por la maniobra recuperadora del teatro de masas y por su utilización como instrumento al servicio de la clase dominante.

La condición humana liberada...
El Auto de la Pasión

por Lucas Fernández

Introducción

Lucas Fernández

Lucas Fernández debió de nacer en 1474 (era «de hedad de sesenta años», según declara él mismo en 1534), en Salamanca. De su familia conocemos pocos detalles [1], pero son suficientes para ligarla, por parte materna, a un catedrático de música de Salamanca, Martín González de Cantalapiedra, tío y protector suyo; a un sacerdote beneficiado de Cantalapiedra, llamado Juan Martínez de Cantalapiedra, también hermano de su madre; y de otro tío materno, Alonso González de Cantalapiedra, sacerdote y capellán de coro de la catedral salmantina. Lucas, huérfano a los quince años, fue tutelado por su tío Alonso, y, con él, vio abrírsele las puertas de la universidad de Salamanca y del palacio ducal de Alba, donde vivió tres años.

Hay ciertos rasgos en la familia y en la vida de Fernández (cambios de nombres, el apellido Cantalapiedra, los oficios familiares, etc.) que han hecho suponer a algunos críticos su origen converso [2]. Otros estudiosos [3] han rechazado tal hipótesis. Más adelante volveremos sobre este punto.

Fernández se graduó en Salamanca y se dedicó con éxito a la poesía y la música. Lihani, apoyándose en Michaëlis de Vasconcelos, ha abierto nuevas veredas que nos acercan al conocimiento de nuestro autor. Las relaciones entre las cortes castellana y portuguesa fueron muy constantes durante los reinados de los Reyes Católicos y de don Manuel. En las mutuas visitas, los nobles acompañaban a los monarcas. La casa

---

[1] Vid. Espinosa Maeso, «Ensayo biográfico del Maestro Lucas Fernández», 1923.

[2] Américo Castro, *De la edad conflictiva*, 1961, y *La Celestina como contienda literaria*, 1965; Alfredo Hermenegildo, *Renacimiento, teatro y sociedad*, 1975.

[3] Lihani, *Lucas Fernández*, 1973, pág. 19.

de Alba estuvo presente con frecuencia. Y no es de extrañar que Lucas y Juan del Encina, que sirvieron en el palacio ducal de 1496 a 1498, tuvieran la oportunidad de viajar con la comitiva regia. Lihani supone que Gil Vicente y Fernández estaban presentes cuando don Manuel y la reina Isabel, su mujer, visitaron Toledo en 1498. También se sabe que Lucas viajó a Portugal con el duque de Alba y que fue organista de la capilla de la reina María [4].

Otro aspecto importante de su vida es su lucha con Encina por obtener el puesto de cantor de la catedral salmantina. Venció Lucas Fernández. Este episodio quedó recordado en un pasaje muy conocido de la encinesca *Egloga de las grandes lluvias*. En la época en que ocupó el puesto —en 1507 ya lo había dejado [5]— Lucas era bien conocido como poeta dramático, vio representadas sus farsas al mismo tiempo que las últimas que hizo Encina en España, escribió varios autos para las fiestas del *Corpus,* que se representaron en Salamanca a partir de 1501, etcétera.

Lucas, como sacerdote, disfrutó de un beneficio en la villa de Alaraz, villa con la que tuvo un pleito por haber incumplido sus obligaciones. No fue este el único beneficio que tuvo.

En 1522 consiguió la cátedra de música de Salamanca, por muerte de Diego de Fermoselle. Cumplió de manera ejemplar con su deber de catedrático y tomó parte muy activa en la vida de la universidad, siendo elegido diputado del Estudio en varias ocasiones, según los *Libros de Claustros.* Afirma Espinosa Maeso [6] que murió el 17 de septiembre de 1542.

El «Auto de la Pasión»

De la serie de siete obras que contiene el volumen titulado *Farsas y églogas,* única muestra de la producción teatral de Lucas Fernández, la más conocida y estudiada es, sin duda alguna, el *Auto de la Pasión.* El resto son comedias, fundamentalmente pastoriles, profanas o semirreligiosas, que ponen de manifiesto diversos comportamientos de grupos sociales frente al fenómeno religioso o frente a los usos y costumbres de individuos pertenecientes a sectores de la sociedad identificados como diferentes o contrapuestos a los de aquéllos. El *Auto de la Pasión,* única obra inserta en la tradición dramática de los *juegos de la Pasión,* se alza como una reflexión personal, más que colectiva o de grupo; se adivina a tra-

---

[4] Id., págs. 41-42.
[5] Espinosa Maeso, 1923. pág. 400.
[6] Id., págs. 423-424.

vés de sus escenas la dinámica interna de un personaje enfrentado con el problema religioso de su comprensión del misterio redentor de Cristo. Los personajes de los otros autos de Fernández pertenecen a la categoría transindividual, tienden a encarnar rasgos colectivos y a poner de manifiesto una problemática que va más allá de la de sus características singulares. El *Auto de la Pasión* se distingue por su carácter más intimista, por la estructuración de sus elementos en torno a la visión que de la Pasión de Cristo tiene principalmente un personaje, el sabio Dionisio, que, en el curso de la acción dramática, va a convertirse a la fe en el Nazareno muerto.

En el *Auto de la Pasión* Lucas Fernández renuncia a la temática del amor, de la oposición entre el campo y la ciudad, de la sátira anticlerical, de la burla del campesino, etc. En él su autor presenta el tema del ascetismo, de la penosa y sufriente búsqueda de Dios por el hombre, un hombre procupado por la vivencia de una religiosidad más auténtica que la practicada por los campesinos, los «puros», duramente criticados en el resto de su producción. Aunque no llegan a tocar el fondo del problema, son muy significativas las palabras de Cotarelo cuando dice que, en esta obra, Lucas Fernández «aparece muy superior a Encina, no sólo por la mayor extensión que da a su obra, sino por su contenido, por el desarrollo, por la poesía y estilo, saturado de recuerdos y frases de los profetas y evangelistas. Aquí estaba el sacerdote Fernández en su verdadero terreno» [7].

La ascesis del *Auto de la Pasión* parece —luego insistiremos más en este punto— la expresión de una vivencia religiosa personal, con lo que no encontraríamos a Fernández muy apartado de las inquietudes señaladas por Américo Castro en la literatura de la época [8]. No creemos que Lucas Fernández fuera un alumbrado propiamente dicho, pero sí es posible ver en él, a través del *Auto* que nos ocupa, un individuo trágicamente inmerso en un medio ambiente de religiosidad acartonada —el de los cristianos viejos—, un español que expresa su propia *pasión*, la lucha propia del recientemente convertido por un perfeccionamiento espiritual auténtico. Esta actitud fue una de las características de los cristianos nuevos.

Empieza la obra cuando san Pedro va lanzando una llamada para que todos se congreguen a oír el relato de la Pasión.

---

[7] *Eglogas y farsas...* Pról. de Cotarelo y Mori, 1929, pág. XXIII.
[8] «En suma, la literatura espiritual (desde la mística a la pastoril), lo mismo que la agresiva (el teatro de la primera mitad del siglo XVI, la picaresca), son brotes de un mismo tronco, de una misma situación humana. Oscurecida la claridad de la ley (la de la Iglesia, la del Estado), la única luz era la interior, la de los *alumbrados* directamente por Dios.» (Américo Castro, *La realidad histórica de España,* México, Porrúa, 1962, pág. 281.)

Cuando está lamentando su triple negación, y se retira a hacer penitencia, encuentra a Dionisio, que ha visto en el cielo unas señales imposibles de descodificar con la ciencia astronómica. Pedro anuncia la muerte de Jesús, y Dionisio, lleno de curiosidad, va haciendo una serie de preguntas que marcan, como hitos imborrables, su propia cetequización y conversión. Pedro narra la Pasión desde el episodio del Huerto de los Olivos hasta la triple negación, siendo interrumpido por las imprecaciones de Dionisio contra los enemigos de Cristo. Mateo vendrá más tarde a continuar el relato, desde el momento en que Jesús es llevado de Anás a Caifás y de Herodes a Pilato. La entrada de las tres Marías y la larga elegía que prepara la aparición del *Eccehomo* forman una especie de paréntesis de meditación que suspende la presentación del relato evangélico.

Mateo sigue contando el episodio de la Vía Dolorosa, dejando a Madalena la narración de la muerte de Jesús en el Calvario. La evocación del momento en que la cruz fue puesta en pie provoca el descubrimiento de una cruz que todos adoran, siguiendo la línea litúrgica del Viernes Santo. Jeremías, convocado por Dionisio, será el encargado de cantar la gran lamentación. Madalena y Mateo se alternan en la descripción de los hechos. Es el evangelista quien cuenta, de forma privilegiada, el dolor de la Virgen María. María Cleofás y Magdalena narran el descendimiento y entierro de Cristo.

Dionisio provoca el fin de la obra. Quiere ver a Dios muerto y deciden ir todos al monumento cantando unos villancicos.

Lucas Fernández, siguiendo el modelo empleado en sus otras obras, pone al frente de ésta un resumen de su contenido. Es curioso que, en él, no se mencione la parte del relato de la Pasión puesta en boca de Pedro y Magdalena; no se identifican las intervenciones de Jeremías ni de las tres Marías; no se cita el relato de la acción pasional de la Virgen María. En cambio, y es el elemento más digno de tenerse en cuenta, se da una preponderancia absoluta a san Dionisio, que se convierte así, según la indicación implícita del autor, en el auténtico protagonista del *Auto*.

Veamos cómo funcionan los personajes en la obra. Pedro, Mateo y las tres Marías no son caracteres diseñados con rasgos de individualidad. Excepto en algún momento de Pedro, en que, al aludir a la triple negación del Maestro, pone de manifiesto su propio drama, su presencia en el juego teatral tiene un fin doble: narrar la Pasión de Cristo e instruir a Dionisio en la fe, respondiendo a cada una de sus preguntas.

Ruiz Ramón ha visto un aspecto original en los personajes

del *Auto:* «Como descanso de ese vertiginoso sucederse de los hechos, al tiempo que como contrapunto emotivo, los personajes alternan su función de narradores-testigos con la de coro de plañideras que, al insertar su propio dolor en el dolor de los hechos testificados en sí conllevan, potencian e intensifican hasta el máximo el dolor de la Pasión» [9]. Añadamos, para puntualizar la observación del respetado crítico, que Lucas Fernández ha puesto en boca de las mujeres sobre todo los momentos de mayor ternura del drama sacro, aquellos en que Cristo es descendido de la cruz y recibido por María, su madre (vv. 721-740). Si no hay individualización de los personajes, Fernández ha establecido, al menos, una diferencia funcional entre los caracteres femeninos y masculinos.

El personaje Jeremías, convocado a escena por Dionisio, se integra con dificultad en la *acción* del *Auto.* Pertenece más al nivel del condicionamiento ideológico que al nivel de la *intriga.* Su figura es casi alegórica o moral. Encarna el llanto universal por la muerte de Cristo. Se ha señalado repetidas veces su anacronismo. En realidad habría que encontrar su significación precisamente en el carácter anacrónico, transtemporal, de su figura. Jeremías representa la tradición judía, la integración de la espiritualidad del pueblo elegido en la aventura salvífica de Cristo. Jeremías pone a Jesús en paralelo con los héroes de la historia judía —Sansón, Absalón, Salomón (vv. 571-574)— y llega a identificarle con el Jehová, el *IHWH* de la tradición paleotestamentaria, el *Tetragrammatón* (v. 580). Jeremías adopta en su discurso la doble actitud propia de una doble pertenencia: la tradición judía y la tradición cristiana. En un momento en que la sociedad castellana cristiano-vieja tendía a borrar de la figura de Cristo toda consonancia judía, es interesante resaltar la voluntad sintetizadora de ambos elementos que transmite Jeremías. Su intervención responde al modelo de comportamiento de quienes, en su nueva fe de conversos, renegaban pública y violentamente de las tradiciones ancestrales judías. De ahí las maldiciones del profeta contra su propio pueblo, convertido, desde la perspectiva cristiana en la que él se sitúa de manera casi esquizofrénica, en el verdugo de Cristo y en el cúmulo de todas las maldades.

Jeremías es, pues, portador de un mensaje con el que, de una parte, se afirman las profundas raíces judías de la figura de Cristo —Sansón, Absalón, Salomón, Jehová—, tratando de recuperar así para la comunidad cristiana elementos fundamentales de la tradición judía. Por otra parte, el mensaje de

[9] Francisco Ruiz Ramón, *Historia del teatro español, I (Desde sus orígenes hasta 1900),* Madrid, Alianza Editorial, 1971, pág. 51.

Jeremías pone de manifiesto la maldición que sobre el pueblo hebreo cae por haber asesinado a Jesús de Nazaret, considerado en este caso como cabeza del cristianismo y como sujeto que nada tiene que ver con la comunidad judía. La figura misma de Jeremías es un buen ejemplo de la doble actitud de afirmación y de rechazo de lo judío, de la voluntad integradora de una tradición judía en la mayoría cristiana, y de la negación del derecho a la existencia de todos los que no se integran en ese nuevo cuerpo social.

La gran creación de Lucas Fernández es Dionisio, auténtico protagonista de la acción dramática. Y hacemos aquí una distinción clara entre la acción del espacio teatral y la del referente histórico, el drama del Calvario. Dionisio representa al hombre en situación de conversión, al hombre que busca lenta y penosamente a Dios, al hombre que sale de su mundo inmediato y se dirige hacia una vivencia de la espiritualidad profundamente cristiana.

Lucas Fernández muestra un interés especial en el diseño del personaje. Le destaca incluso en detalles que pueden parecer intranscendentes. Ya hemos hecho alusión a este punto, pero conviene insistir. En el resumen del argumento que encabeza la obra el autor apenas cita los nombres de todos los personajes encargados exclusivamente de la narración. Es diferente el caso de Dionisio, «el cual venía espantado de ver eclipsar el sol, e turbarse los elementos, e temblar la tierra e quebrantarse las piedras, sin poder alcanzar la causa por sus reglas de astronomía» [10]. De las seis líneas que verdaderamente resumen el argumento, se dedican tres a la descripción del papel de Dionisio. El *Auto* es eso: la representación de la conversión de un intelectual, motivada por la contemplación de la Pasión de Cristo.

Dionisio destaca sobre los demás en la afirmación de las implicaciones que la muerte de Cristo tiene para él (v. 317). Es quien más se lamenta y quien más interés muestra por conocer los hechos de la Pasión. Es el motor de la narración que va haciendo el resto de los personajes. Cuando el relato ha acabado es Dionisio quien, por su impaciencia de converso, permite al autor terminar la obra con la adoración del monumento (vv. 741-745). Su carácter de neófito, de converso en trance de vivir una religiosidad auténtica, se manifiesta en el interés que tiene en saber cómo ocurrió la muerte de Jesús. Su imprecación a Cristo mismo (vv. 467-471) actualiza y hace más viva y presente la Pasión.

Por otra parte —y éste es un rasgo muy propio del neocon-

[10] Pág. 17 de esta edición.

verso—, reacciona con ira al conocer cada uno de los detalles del sufrimiento divino. Arremete, en consecuencia, con igual furia contra el pueblo judío. En este sentido es un personaje que responde al modelo ideológico que condiciona la figura de Jeremías, aunque Dionisio no pertenece a la tradición judía.

Lucas Fernández ha preferido no sacar a escena a Cristo y María. Ha evitado la aparición de ambos personajes, exponiendo la Pasión por boca de Pedro, Mateo y las Marías. «Como en la tragedia griega —señala con acierto Ruiz Ramón [11]—, los sangrientos hechos ocurridos fuera de escena intensifican su dramatismo por virtud de las palabras del narrador o mensajero, así Lucas Fernández, ignorante de tal procedimiento técnico del gran drama clásico, lo utiliza en su *Auto*, mostrándonos su gran instinto dramático.» Fernández recurre a la técnica de presentar la historia de la Pasión a través del efecto que va produciendo su relato en el intelectual pagano, Dionisio, hasta su conversión. Ha hecho gala de una gran originalidad al desplazar el eje de la acción hacia Dionisio y al dejar entrever la evolución espiritual de quien contempla la muerte de Cristo.

La estructura de la pieza se reparte en tres planos distintos. En primer lugar, la narración de la Pasión de Cristo en tres etapas, presentadas respectivamente por Pedro, Mateo y las Marías. El *Auto* ha mostrado el hecho pasional iluminado desde distintas perspectivas: la de Pedro, interesado en la acción y arrepentido del triste papel que representó; la de Mateo, el evangelista, cronista objetivo del hecho, y la de las tres mujeres, con una visión amorosa, tierna y maternal del sufrimiento de Jesús. Dionisio ocupa el segundo plano. El no es testigo presencial del hecho. La narración de los otros personajes va cayendo sobre el alma del sabio pagano como lluvia purificadora. La tercera dimensión de la obra es la parte de lamentos, oraciones y adoración, la ascética y la enseñanza.

El sentido litúrgico del *Auto* es un elemento en que hay que detenerse. La obra se ciñe totalmente al relato evangélico, hasta tal punto que, para reproducir las palabras de Cristo o de la Virgen, Fernández utiliza el latín. Aunque el llanto y los duelos verbales de María no estén en la Escritura, el autor ha querido precisar su respeto y su fidelidad a las dos figuras protagonistas del drama del Calvario usando el latín, lengua litúrgica. Hay otros momentos [12] en que el condicionamiento

---

[11] Ruiz Ramón, *Historia del teatro...*, 1971, pág. 51.
[12] Hermenegildo, *Renacimiento...*, pág. 236-239. De este libro hemos tomado buena parte de la información contenida en este prólogo.

17

del marco litúrgico se hace manifiesto. La razón de tal sentido litúrgico hay que verla en el hecho de que la obra se representó, muy probablemente, en una iglesia o capilla aristocrática inmediatamente después de los Oficios del Jueves o del Viernes Santo [13]. El público a que la obra se dirigía debió de ser un público aristocrático reunido en el palacio de los duques de Alba o en lugar semejante y fuertemente condicionado por la tradición nacional portuguesa. Lo cual sitúa el *Auto de la Pasión* en la línea de todo el teatro primitivo castellano, obra dirigida a unas minorías aristocráticas, eclesiásticas o intelectuales; producción literaria cuyo destinatario era un público cerrado y cortado de la gran masa popular.

Lucas Fernández, al dramatizar la experiencia espiritual de Dionisio ante un público espectador cómplice en un espacio ideológico cerrado, está presentando la proyección de su propia aventura humana, de su propia conversión. Nuestro autor, en el contexto ideológico en que vivían los intelectuales conversos, busca con el *Auto de la Pasión* la dramatización de una vuelta a la religiosidad más auténtica y evangélica, a la *philosophia Christi* que predicó Erasmo y que estaba tan presente en buena parte de la producción teatral de estos años españoles.

La métrica del «Auto»

La obra consta de setenta y cinco estrofas, dos *motecicos*, un himno latino y dos villancicos finales. Cada una de las setenta y cinco estrofas está formada por diez versos octosílabos (menos el noveno, que puede ser tetrasílabo o pentasílabo) con rima consonante distribuida así: abaabcdccd. En general, la rima es bastante variada. En la estrofa 35 el autor repite la rima y el esquema señalado se convierte en: abaabbcbbc. Es la misma estructura, pero con menos variedad de terminaciones. La estrofa 36, después del *Eccehomo*, y quizá para señalar el momento, es diferente. Los diez versos son octosílabos, aunque se mantiene el mismo esquema en la distribución de las rimas.

Los novenos versos son siempre tetrasílabos, menos en las estrofas 4, 6, 24, 30, 32, 35, 39, 42, 45, 56, 59, 65, 66 (en latín), 68 (en latín) y 74. Son versos agudos en la mitad de los casos, aproximadamente. El verso 2 tiene nueve sílabas.

Los versos 286, 287 y 288 (octosílabos rimados en abb) se intercalan en una estrofa, entre el verso quinto y el sexto, y

---

[13] *Vid.*, nuestro trabajo «Del icono visual al símbolo textual...» (en prensa).

forman el primer *motecico*. El segundo, también de tres octosílabos rimados en abb (los versos 294, 295 y 296), no altera la estructura de ninguna estrofa. Los versos 537-540 forman el himno *O crux, aue, spes unica*.

Los dos villancicos finales se llaman, respectivamente, canción y villancico. La canción está formada por versos octosílabos distribuidos así: estrofa 1 (cinco versos - abaab); estrofa 2 (tres versos - abb); estrofas 3 y 4 (siete versos - ababbcc). El villancico consta de uns estrofa de tres versos octosílabos (abb) y de ocho estrofas más, de siete octosílabos rimados según el esquema abbaacc. El pareado cc siempre tiene rima aguda en «or» (señor, pecador, malhechor, robador, blasfemador, sudor, resplandor y hazedor). Todas las rimas son consonantes.

Nuestra edición

Hemos reproducido, con las debidas correcciones y varias modificaciones en la puntuación, el texto del *Auto de la Pasión* que aparece en nuestra edición *Teatro selecto clásico de Lucas Fernández* (Madrid, Escélicer, 1972). Hemos modernizado en ella las grafías originales, siempre que, a nuestro juicio, no induzcan a una lectura errónea. Hemos seguido las normas actuales de acentuación y hemos recurrido al apóstrofo para deshacer formas de la edición de 1514 a veces incomprensibles (*darl'hé* por *darle*, etc.). En las notas hemos aclarado el sentido de ciertos términos empleados por Lucas Fernández y que necesitaban, en nuestra opinión, una explicación.

Bibliografía selecta

1. Ediciones

Las principales ediciones del *Auto de la Pasión* están publicadas en las obras siguientes:

Farsas y églogas al modo y estilo pastoril: y castellano fechas por Lucas Fernandez Salmantino. Nueuamente impressas. Salamanca, Lorenço de Liom, 1514. Hay una reproducción facsímile del texto de 1514, con prólogo de Emilio Cotarelo y Mori, publicada en Madrid, Real Academia Española, 1929.

Farsas y églogas al modo y estilo pastoril y castellano, fechas por Lucas Fernández Salmantino. Edición y prólogo de Manuel Cañete. Madrid, Real Academia Española, 1867.

Farsas y églogas. Introducción, estudio y edición de John Lihani. Nueva York, Las Américas, 1969.

Teatro selecto clásico de Lucas Fernández. Edición, prólogo y notas de Alfredo Hermenegildo. Madrid, Escelicer, 1972.

Farsas y églogas. Edición, introducción y notas de María Josefa Canellada. Madrid, Castalia, 1976.

2. Estudios

CASTRO, AMÉRICO, *De la edad conflictiva. I. El Drama de la Honra en España y en su Literatura.* Segunda edición. Madrid, Taurus, 1961.

— *La Celestina como contienda literaria (castas y casticismos).* Madrid, Revista de Occidente, 1965.

21

CRAWFORD, J. P. WICHERSHAM, *Spanish Drama before Lope de Vega*. A revised edition. Filadelfia, University of Pennsylvania Press, 1937. Hay reedición (Filadelfia, 1967) con un suplemento bibliográfico de Warren T. McCready.

DONOVAN, RICHARD B., *The Liturgical Drama in Medieval Spain*. Toronto, Pontifical Institute of Medieval Studies, 1958.

ESPINOSA MAESO, RICARDO, «Ensayo biográfico del Maestro Lucas Fernández (¿1474-1542)». (*Boletín de la Real Academia Española*, X, 1923, págs. 386-424 y 567-603).

HERMENEGILDO, ALFREDO, «Nueva interpretación de un primitivo: Lucas Fernández» (*Segismundo*, II, 1966, págs. 9-43).

— *Renacimiento, teatro y sociedad. Vida y obra de Lucas Fernández*. Madrid, Cincel, 1975.

— «Del icono visual al símbolo textual: el *Auto de la Pasión*, de Lucas Fernández». (En prensa.)

LIHANI, JOHN, *El lenguaje de Lucas Fernández. Estudio del dialecto sayagués*. Bogotá, Instituto Caro y Cuervo, 1973.

— *Lucas Fernández*. Nueva York, Twayne Publishers, 1973.

LÓPEZ MORALES, HUMBERTO, *Tradición y creación en los orígenes del teatro castellano*. Madrid, Edice. Alcalá, 1968.

MICHAËLIS DE VASCONCELOS, CAROLINA, *Notas vicentinas*. Lisboa, Rev. Occidente, 1949.

Auto de la Pasión fecho
por Lucas Fernández

(Representación de la Pasión de nuestro redemptor Jesucristo, compuesta por Lucas Fernández, en la cual se entroducen las personas siguientes: SANT PEDRO, *e* SANT DIONISIO, *e* SANT MATEO, *e* JEREMIAS *e las tres Marías. Y el primer introductor es* SANT PEDRO, *el cual se va lamentando a facer penitencia por la negación de Cristo, como en la* Pasión *se toca. S:* Exiit foras et fleuit amare *. E el poeta finge toparse con* SANT DIONISIO, *el cual venía espantado de ver eclipsar el sol, e turbarse los elementos, e temblar la tierra e quebrantarse las piedras, sin poder alcanzar la causa por sus reglas de astronomía. E después entra* SANT MATEO *recontando la Pasión con algunas meditaciones. E después* JEREMIAS. *E finalmente entran las tres Marías.* Et incipit feliciter sub correptione Sancte Matris Ecclesie **.)*

PEDRO:

¡Oíd mi voz dolorosa!
¡Oíd, los vivientes del mundo!
¡Oíd la pasión rabiosa
que en su humanidad preciosa
sufre nuestro Dios jocundo!   5
Salgan mis lágrimas vivas
del abismo de mis penas,
pues que d'ansias tan altivas,
tan esquivas,
mis entrañas están llenas.   10

---

  *   'salió fuera y lloró amargamente'.
  ** 'Y comienza felizmente con la autorización de la Santa Madre Iglesia'.
  3 *rabiosa,* 'vehemente, excesiva, violenta'.
  5 *jocundo,* 'plácido, alegre, agradable'.
  8 *altivas,* 'agudas'.

¡Ay de mí, desconsolado!
¿Para qué quiero la vida?
¿Qué haré ya, desdichado?
Ya mi bien es acabado.
Ya mi gloria es fenecida.   15
¿Cómo pude yo negar
tres veces a mi Señor?
Mi vida será llorar
el pesar
de mi pecado y error.   20
Será ya mi habitación
en los campos despoblados.
Lloraré con aflicción
hasta alcanzar el perdón
de mis muy graves pecados.   25
Mis mejillas regaré
con lágrimas de mis ojos.
Mis carnes afligiré
y estaré
siempre en la tierra de hinojos.   30
De sollozos y gemir,
de hoy más será mi manjar;
de penitencia el vestir,
y el beber de mi vivir
le proveerá mi llorar.   35
¡Oh, mi boca entorpecida!
¡Oh, desvariada lengua!
¡Oh, maldad mía crecida,
engrandecida!
¡Oh, mengua de mi gran mengua!   40
¿Dónde estaba transportado?
¿Dónde estaban mis sentidos?
¿Cómo estaba así olvidado?
¡Ay de mí, viejo cuitado!
¿Dónde los tenía perdidos?   45
¡Oh, gallo sabio, prudente,
cuán presto me despertaste!
¡Oh, buen Dios omnipotente,
cuán clemente

---

32 *de hoy más*, 'de hoy en adelante, desde este día'.
45 '¿Dónde tenía perdidos mis sentidos?'.
46 El gallo de la Pasión, que, con su canto, anunció a Pedro su triple negación.

con tus ojos me miraste! 50
Mi esfuerzo, mi fortaleza,
mi fe robusta, encendida,
mi limpieza, mi pureza,
¿cómo cayó en tal vileza
que tan presto fue vencida? 55
¡Miserere, miserere,
mi Dios, pues que te negué!
¡Miserere, pues que muero
y de ti quiere
perdón mi esperanza y fe! 60
¡Oh, mi Dios! ¿Y dónde estás?
¿Dónde estás, que no te veo?

DIONISIO: *Deo gratias.* Padre, ¿qué has
que a tantas penas te das?

PEDRO: ¡Oh, mi gran bien y desseo! 65

DIONISIO: ¿No me dirás tú quién eres?

PEDRO: Soy Pedro el desventurado.

DIONISIO: ¿Por qué lloras? ¿Por qué mueres?
Tú ¿qué quieres?

PEDRO: ¡Ay, qu'he a mi Señor negado! 70

DIONISIO: Y di, ¿quién es tu Señor?

PEDRO: Dios y hombre verdadero,
el cual, con muy sancto amor,
recibe pena y dolor
por el pecado primero. 75

DIONISIO: Por eso el sol ha mostrado
hoy gran luto dolorido;
también la tierra ha temblado
y ha estado
el mundo, cierto, afligido. 80
La luna con las estrellas,
sin razón de se eclipsar
las sus claridades bellas,
con muy humosas centellas
han mostrado gran pesar. 85
También los cuatro elementos,

---

56 *miserere,* 'compadécete, ten compasión'.
63 *Deo gratias,* 'gracias a Dios', usado como saludo.
63 *has,* 'tienes'.
70 'que he negado a mi Señor'.
86 tierra, aire, agua, fuego.

conformes todos de un voto,
muestran graves sentimientos,
descontentos,
con áspero torromoto.   90
Yo soy Dionisio de Atenas
y, en faltarme astronomía,
alcancé a sentir las penas
de fatigas tanto llenas
que aqueste Dios padescía.   95

PEDRO: ¡Oh, mi Dionisio, hermano!
Lloremos en voz y en grito,
pues nuestro Dios soberano
y humano
está puesto en tal aflito.   100

DIONISIO: Si aqueste es Dios de la vida,
¿por qué se deja matar?

PEDRO: Por levantar la caída
de la maldá envejecida
del ponzoñoso manjar.   105
Por eso quiso tomar
nuestra humanidad muy flaca:
por matar el rejalgar
y nos dar
su sangre por la triaca.   110
Por eso quiso nascer
en medio del bravo invierno:
por mejor nos guarecer
con su infinito poder
del gran fuego del infierno.   115
Su sangre sancta, sagrada,
derramó el octavo día

90   *torromoto*, 'terremoto'.
91   Dionisio Areopagita, durante la Edad Media y el Renacimiento, fue identificado
     con el san Dionisio encontrado por san Pablo en Atenas. Es probable que, en
     realidad, fuese un monje que escribió tratados místicos en griego en el siglo VI o
     antes.
100 *aflito*, 'aflicción'.
104 *maldá*, 'maldad'.
105 La manzana que Eva dio a Adán fue el alimento envenenado que hizo caer a la
     humanidad.
108 *rejalgar*, 'combinación muy venenosa de arsénico y azufre'; aquí 'veneno'.
110 *triaca*, 'antídoto, antiveneno'.
116-117 Jesucristo fue circuncidado ocho días después de nacer, según lo celebraba la
     antigua liturgia cristiana.

por dejar circuncidada
y alimpiada
nuestra culpada agonía.   120
Sufrió hambre y mucho afán
por nos dar El a comer
su sancto cuerpo por pan,
el cual siempre adorarán
los cielos sin fenescer.   125
Sufrió sed por nos hartar
de aguas de vivas fuentes.
No hay quien pueda imaginar
ni pensar
sus obras tan excelentes.   130
Los muertos resuscitaba,
los mudos hablar hacía,
toda enfermedad sanaba.
Siempre, siempre predicaba.
Todo el pueblo le seguía.   135

DIONISIO: ¡Oh, principio principal!
                ¡Oh, causa rima y primera!
                Sufres Tú pena mortal
                por el mal
                de aquella antigua dentera.   140

PEDRO: Pues si le vieras orar
                aquesta noche en el huerto
                y con sospiros llorar
                y viva sangre sudar,
                d'angustias cayeras muerto.   145

DIONISIO: Con esa sangre, por cierto,
                limpiaba nuestras mancillas.

PEDRO: Vino luego un desconcierto
                muy despierto
                de judíos en cuadrillas   150
                con linternas y candiles,
                con armas, lanzas, lanzones.
                Mill ribaldos y aguaciles,

118   La circuncisión se toma en sentido figurado de 'purificación espiritual'.
119   *alimpiada*, 'limpia'.
140   *dentera*, 'envidia». Se refiere al deseo envidioso de Adán y Eva, que quisieron ser
      como Dios.
148   *desconcierto*, 'confusión, perturbación'.
150   *cuadrillas*, 'grupos armados'.
153   *ribaldos*, 'pícaros, bellacos, rufianes'.
153   *aguaciles*, 'alguaciles'.

mill linajes de hombres viles,
mill verdugos, mill sayones,   155
con tumulto y con estruendo,
con gritos y vocería,
mill barahúndas haciendo,
muy corriendo
prendieron nuestra alegría.   160
Vino Judas delantero,
su discípulo criado,
muy ardid y muy artero,
y dio paz al gran Cordero
por gelo dar señalado.   165
Y llegó el pueblo malvado
todo lleno de crueza
y asió de aquel sin pecado
humanado,
maestro de la nobleza.   170

DIONISIO: ¡Oh, falso Judas, traidor,
que con paz heciste guerra!
¡Sórbate con gran furor
el abismo bramador!
¡Tráguete vivo la tierra!   175
¡Oh, sucio, huerco, maldito!
¿Cómo podiste vender
la sangre del infinito
Dios bendito?
¡El te quiera cohender!   180

PEDRO: Después que todos llegaron,
lo que a mí más me quebranta
es la soga que le echaron
y crudamente añudaron
aquella sancta garganta.   185
Luego allí fueron atadas
sus sanctas manos atrás,

---

158 *barahúndas,* barahúnda, 'ruido y confusión grande'.
163 *ardid,* 'mañoso, astuto, sagaz'.
165 *gelo,* 'se lo'. Judas señaló con un beso a Jesús, el gran Cordero.
167 *crueza,* 'crueldad'.
176 *huerco,* 'demonio'.
180 *cohender,* 'confundir, humillar, abatir, avergonzar'.
184 *crudamente,* 'cruelmente'.
184 *añudaron,* 'anudaron'.

	y asaz palos y puñadas,	
	bofetadas,	
	le daban. Mira, verás.	190
DIONISIO:	¡Oh, Señor mío y mi Dios,	
	descanso de gloria y paz,	
	que por redemir a nos	
	sufrís mill injurias vos	
	en vuestra divina haz!	195
PEDRO:	¡Ay, si vieras cuán feroces	
	le llevaban arrastrando!	
	Con empujones atroces	
	y con voces	
	otros le iban denostando.	200
	Y los otros repelaban	
	las barbas angelicales.	
	Y los otros le mesaban,	
	le escopían y llagaban	
	con heridas muy mortales.	205
	Y los otros le mofaban,	
	otros que le hacían gestos,	
	y los otros le empujaban	
	y ultrajaban	
	con escarnios y denuestos.	210
	Con los dedos le querían	
	sus sanctos ojos sacar;	
	de codo le sacudían;	
	otros el pie le ponían	
	por le hacer estropezar.	215
	¡Verle en tierra arrodillar,	
	caer mill veces de pechos...!	
	¡No hay quien deje de llorar,	
	sin dudar,	
	estos aborribles hechos!	220
DIONISIO:	¡Hacedor de tierra y cielo!	
	¡Oh, rey sancto, poderoso!	
	¡Oh, nuestro bien y consuelo,	
	que por nos quitar recelo	

---

188 *asaz*, 'bastante, harto'.
195 *haz*, 'faz'.
213 *de codo*, 'con el codo'.
215 *estropezar*, 'tropezar'.
220 *aborribles*, 'aborrecibles'.

	padecéis tan amoroso!	225
PEDRO:	Y trompetas y bocinas	
	le tanían por detrás.	
	Y ansí estas gentes hacinas	
	y mezquinas	
	le llevaron a Caifás.	230
	Y ansí yo allí, viejo ansiado,	
	todo lleno de temor,	
	de una sierva atribulado,	
	también de un siervo malvado,	
	negué a mi Hacedor.	235
	Y voyme hacer penitencia	
	de mi grave iniquidad,	
	pues con ojos de clemencia	
	y de paciencia	
	me miró su Majestad.	240
MATEO:	!Oh, Pedro, amigo leal,	
	amigo, mi grande amigo!	
	Nuestro Maestro eternal	
	¿cómo quedó, dime, tal	
	sin consuelo y sin abrigo?	245
PEDRO:	¡Oh, Mateo, gran testigo,	
	dime, dime qué tal queda!	
MATEO:	En verdad, cierto, te digo	
	que me obligo	
	conoscer nadie le pueda.	250
PEDRO:	¿Cómo ansí? Dime, Mateo.	
MATEO:	Porque del pie a la cabeza	
	cosa en El sana no veo,	
	y aun sus coyunturas creo	
	las cuenten pieza por pieza.	255
PEDRO:	¡Oh, muy dolorosa plaga!	
	¡Oh, lástima lastimera!	
	Ya por la soberbia llaga	
	se da paga	
	de humildad muy verdadera.	260
DIONISIO:	Y di, ¿quién le maltrataba?	

---

227 *tanían*, 'tañían, tocaban'.
228 *hacinas*, 'avaras, mezquinas, miserables'.
231 *ansiado*, 'lleno de ansia, congoja, angustia'.
254 *coyunturas*. Aquí tiene sentido general de 'huesos', más que el de 'articulaciones'.
256 *plaga*, 'llaga'.

30

MATEO:	Escribas y fariseos.
	Por peor se reputaba
	quien menos penas le daba.
DIONISIO:	¡Oh, falsos, perros hebreos! 265
MATEO:	Lleváronle en pocos ratos
	de Anás a Caifás
	y de Herodes a Pilatos.
	Tantos tratos
	le han dado que t'helarás. 270
	Hanle traído arrastrando
	por las calles esta noche.
	El gemiendo y sospirando
	y su sangre derramando
	muy humilde y sin reproche 275
	Llamábanle encantador
	unos, y otros hechicero;
	otros que blasfemador.
PEDRO:	¡Ay, dolor!
	Pues muere, ¿cómo no muero? 280
DIONISIO:	¡Oh, pueblo desconocido,
	luciferal Satanás,
	ingrato, desagradecido!
	¿Por qué a tu Rey elegido
	tan graves penas le das? 285

(Entran las tres Marías con este llanto, cantándolo a tres voces de canto de órgano:)

	¡Ay, mezquinas, ay, cuitadas!
	¡Desdichadas! ¿Qué haremos
	pues que tanto bien perdemos?
PEDRO:	¡Oh, infortunio repentino!
MATEO:	¡Ay, ay, ay!
DIONISIO:	¡Ay, ay!
PEDRO:	¡Ay, ay! 290
MATEO:	¡Ay, cuán triste mal nos vino!
DIONISIO:	¡Ay, mezquino!
PEDRO:	¡Ay, pues ya remedio no hay!

269   *tratos*, 'tormentos'.
270   *t'helarás*, 'te helarás, te quedarás pasmado, admirado'.
283   *desgradecido*, 'desagradecido'.

(Aquí tornan a cantar las tres Marías, por la sonada sobredicha, este motecico:)

	¡Ay, dolor, dolor, dolor,	
	dolor de triste tristura,	
	dolor de gran desventura!	295
DIONISIO:	¿Quién son aquestas señoras?	
MATEO:	Las desastradas Marías.	
MADALENA:	¡Ay, mezquinas pecadoras!	
MARÍA CLEOFÁS:	¡Oh, señor mío! ¿Y dó moras?	300
SALOMÉ:	¡Oh, angustiadas agonías!	
MADALENA:	Hermanos, llorad, llorad,	
	llorad vuestra desventura,	
	llorad con fe y lealtad	
	la soledad	305
	de vuestra ansia y amargura.	
PEDRO:	¡Oh, hermana Madalena!	
MADALENA:	Hermano Pedro, ¿qué haremos?	
	Cercados somos de pena,	
	de muy amarga cadena.	310
	Ya nuestro bien no lo vemos.	
DIONISIO:	Lloremos todos, lloremos,	
	lloremos amargo lloro.	
MADALENA:	Lloremos sin que cansemos,	
	pues perdemos	315
	nuestra riqueza y tesoro.	
DIONISIO:	Yo soy el más desastrado.	
MADALENA:	Mas yo, mezquina, cuitada.	
MATEO:	¡Ay de mí, desconsolado!	
PEDRO:	¿Qué haré viejo, cansado,	320
	pues mi gloria es acabada?	
MARÍA CLEOFÁS:	¡ay, ay, ay de mí! ¿Qué haré?	
	¡Ay de mí, triste viuda!	
	¿Con quién me consolaré	
	o tomaré	325
	para mi guarda y ayuda?	
MADALENA:	¡Oh, mi maestro y esposo!	
	¡Oh, mi bien y gran descanso!	
	¡Oh, Dios mío glorioso!	
	¡Cuán benigno y amoroso	330
	a la muerte fuiste y manso!	

298 *desastradas*, 'infelices'.

SALOMÉ:	¡Oh, pueblo perro, profano,
	crudo, traidor, alevoso!
	¿Por qué matas con tu mano,
	muy ufano, 335
	a tu Dios sancto, gracioso?
MADALENA:	¡Oh, cuán dulce es el llorar
	a los tristes afligidos,
	y cuán dulce el sospirar,
	y cuán dulce lamentar 340
	y cuán dulces los gemidos!
MATEO:	¡Oh, qué fue verle acusar!
	¡Oh, qué fue, ya como os dije,
	todo el pueblo vocear
	y clamar: 345
	«¡Crucifixe, crucifixe!»
	Pilatos, por contentar
	aqueste pueblo malvado,
	luego le hizo desnudar 350
	que todo quedó llagado.
	Y d'espinas coronado
	le vi y quedé no sé cómo.
	Mostrógelo empurpurado
	y denostado, 355
	diciéndoles: «Ecce homo.»

(Aquí se ha de mostrar un Ecce homo de improviso, para provocar
la gente a devoción, ansí como le mostró Pilatos a los judíos. Y los
recitadores híncanse de rodillas cantando a cuatro voces: Ecce homo,
Ecce homo, Ecce homo.)

Díjoles: «¿Quedáis contentos?
Veisle aquí bien castigado.
Sosegad los pensamientos,
que asaz ásperos tormentos   360
por cierto le tengo dado.»
Sin cesar voces jamás,
«¡Crucifixe!» siempre claman.
«¿A Jesú o a Barrabás?»

333 crudo, 'cruel'.
346 'crucifícale'.
354 'se lo mostró vestido de púrpura'.
356 'he ahí el hombre'.

	les dijo, «¿Cuál queréis más?»	365
	Por Barrabás todos braman.	
DIONISIO:	¡Oh, pueblo de traición!	
	¿Cómo te has ansí cegado,	
	que a un matador ladrón	
	quieres más con afición	370
	que aquel Dios que te ha formado?	
	¿No te contentas ya del	
	verle bien como leproso?	
	Mira bien, pueblo cruel	
	de Israel,	375
	qu'este es tu Dios poderoso.	
MATEO:	Y Pilato, importunado	
	d'aquel pueblo, dio sentencia,	
	como loco atolondrado,	
	que fuese crucificado	380
	el Cordero de paciencia.	
	Y el pueblo, con gran hemencia,	
	arremetió a Él muy presto	
	sin tenerle reverencia	
	ni clemencia,	385
	con denuedo deshonesto,	
	Luego allí los mohatrones	
	rabís y aljama y sinoga,	
	asen de sus cabezones;	
	unos le dan empujones,	390
	otros le tiran la soga.	
	¡Oh, qué fue verle acezando	
	con una cruz muy pesada,	
	cayendo y estropezando	
	y levantando,	395
	con la cara ensangrentada,	
	con la voz enronquecida,	
	rompidas todas las venas	
	y la lengua enmudecida,	
	con la color denegrida,	400

---

382 *hemencia*, 'vehemencia'.
387 *mohatrones*, 'los que hacen mohatra, fraude, engaño'.
388 *rabís*, 'rabinos'; *aljama*, 'junta de judíos'; *sinoga*, 'sinagoga'.
389 *cabezones*, cabezón es 'el cuello del vestido y de la camisa'.
392 *acezando*, 'jadeando'.
394 *estropezando*, 'tropezando'.

34

cargado todo de penas,
y los miembros destorpados,
los ojos todos sangrientos,
los dientes atenazados,
lastimados   405
los labrios con los tormentos!
Lágrimas, sangre y sudor
era el matiz de su gesto,
derretido con amor
para curar el langor   410
en qu'el mundo estaba puesto.
Con huego de caridad
hizo confación de ungüentos
para ungir la enfermedad
y maldad   415
ya de todos los vivientes.
Desque Juan le vio llegado
a la muerte, así a deshora,
con la nueva apresurado
vuelve a la Virgen turbado,   420
diciendo: «Salid, Señora.
Oirés aquel pregón,
que va a muerte condenado
Aquel que, sin corrución,
en perfición   425
concebistes sin pecado.
Dejad el trono real.
Apresúreos el dolor.
Veréis aquel divinal
sancto rostro imperial   430
cómo va tan sin color.»
Con tales nuevas turbada,
sale la Virgen María

402 *destorpados*, 'afeados, manchados, estropeados'.
406 *labrios*, 'labios'.
410 *langor*, 'languidez'.
412 *huego*, 'fuego'.
413 *confación*, 'confección', que en farmacia es 'medicamento de consistencia blanda,
     compuesto de varias sustancias pulverizadas, casi siempre de naturaleza vegetal'.
413 *ungüentes*, 'ungüentos'.
417 *desque*, 'luego que'.
424 *corrución*, 'pecado'.
425 *perfición*, 'perfección'.

sin fuerzas, apresurada,
transformada   435
con el dolor que sentía.
Y viendo con tal fación
aquel Hijo tan amado,
comienza su corazón
a quebrarse de pasión,   440
de tormentos traspasado.
¡Ea, Virgen singular,
que si vais fuera del cuento
en el parir sin penar,
descotar   445
lo habéis en este tormento.
¿Veis? Va su fuerza escondida
entre aquel pueblo tirano,
que la hora es ya venida
donde quitarán la vida   450
al Hijo del Soberano.
¡Dad, Señora, dad mandado
en la corte celestial
que tienen su Rey cercado
y maltratado   455
por la culpa paternal.

DIONISIO: Dime, di. ¿Dónde quedaron
                 las gentes que le siguían?
MATEO: Todos, todos le negaron;
                 todos le desampararon.   460
DIONISIO: ¿Cómo no le socorrían?
MATEO: Bien como oveja paciente
                 entre los lobos rabiosos
                 quedó el gran Rey obediente,
                 muy clemente,   465
                 entre perros maliciosos.
DIONISIO: ¿Qu'es de los reyes indianos
                 que vinieron adorarte?
                 ¿Dónde están tus cortesanos

---

437   *fación*, 'facción, figura y disposición con que una cosa se distingue de otra'.
443   *cuento*, 'cómputo'.
445   *descotar*, 'escotar, pagar la parte o cuota que toca a cada uno del coste hecho en
      común por varias personas'.
452   *mandado*, 'aviso, recado'.
456   la culpa del padre Adán.

36

	que la fuerza de sus manos	470
	no socorren ayudarte?	
PEDRO:	Entre los fieros halcones	
	muere l'águila caudal,	
	viéndole aquellas legiones	
	y naciones	475
	desde el coro angelical.	
MATEO:	Como leona parida	
	sobre los sus embrios brama,	
	así la Madre afligida,	
	con ansia más que crecida,	480
	por su Hijo y Dios reclama.	
	Por la sangre rastreando	
	iba aquella Reina sancta,	
	muy dulcemente llorando	
	y entonando	485
	el canto qu'el cisne canta.	
	Con la Virgen, sus pisadas	
	seguían dos mill matronas	
	lacrimando lastimadas,	
	muy tristes, desconsoladas,	490
	compasibles sus personas,	
	dándole llorosas quejas:	
	«¿Por qué te sufres llevar,	
	nuestro Dios, y así te alejas	
	y te dejas	495
	d'ese pueblo vil matar?»	
	El buen Iesú nazarén	
	volviólas dulce a mirar	
	y respondióles también:	
	«*Filie Hierusalem,*	500
	no queráis por mí llorar.	
	Llorad, llorad sobre vos,	
	llorad sobre vuestros hijos.»	
MADALENA:	¡Oh, inmenso, eterno Dios!	
	¿Cómo vos	505
	padecéis tantos litijos?	
MATEO:	Y llegados al lugar	

478   *embrios*, 'cachorros'.
489   *lacrimando*, 'llorando'.
500   'Hijas de Jerusalén'.
506   *litijos*, 'tormentos'.

Calvarie monte llamado,
comenzaron apartar,
por la bien crucificar,   510
los que le han acompañado.
¡Oh, qué fue haber de quitar
del Hijo su sancta Madre!
Comiénzanse de mirar
y llorar   515
desamparados del Padre.
A un cabo nos apartaron
con la Madre medio muerta;
luego allí mi Dios cercaron
las gentes que le llevaron   520
con furia más que despierta.
Y en oír las martilladas,
fueron del hincar los clavos
nuestras entrañas rasgadas
y arrancadas   525
como de leones bravos.
Los ribaldos y sayones
en tierra hincaron la cruz;
vímosla entre dos ladrones
más alta que los lanzones   530
resplandeciendo con luz.
Comenzamos la adorar
con divina reverencia
y, adorando, lamentar
y cantar   535
la gloria de su excelencia.

*(Aquí se ha de demostrar o descobrir una cruz repente, a deshora, la
cual han de adorar todos los recitadores hincados de rodillas, cantando en canto de órgano:)*

O, crux, aue, spes vnica,
hoc passionis tempore
auge pijs iusticiam
reysque dona veniam.   540

517   *cabo,* 'extremo, lado'.
527   *ribaldos,* 'pícaros, bellacos, rufianes'.
537-540   '¡Oh, cruz, salve, esperanza única, en este tiempo de sufrimiento aumenta la
          justicia a los piadosos y da el perdón a los pecadores'.

DIONISIO:	Alza tu voz, Jeremías,	
	con dolorosos pregones	
	y lamenta en nuestros días	
	tus ansiadas profecías	
	y clamorosas canciones,	545
	pues lo por ti profetado	
	del sancto, humilde Cordero,	
	Jerusalén lo ha cabado,	
	pues clavado	
	le tiene en cruz de madero.	550
JEREMÍAS:	Largo tiempo es ya pasado,	
	hijos míos, si miráis	
	que ni ceso ni he cesado	
	de llorar con gran cuidado	
	lo que vosotros lloráis.	555
	El corazón, las entrañas	
	tengo secas con pesar;	
	mis tristezas son tamañas,	
	tan extrañas	
	qu'el llorar m'es descansar.	560
	¡Oh, pavor muy tremibundo,	
	trabajo más que infinito,	
	qu'el gran Hacedor del mundo	
	sufra dolor foribundo	
	por pagar nuestro delito!	565
	Días ha que a esta nación	
	de aqueste pueblo maldito	
	le lloro su perdición	
	con aflición,	
	y allá gelo dejé escrito.	570
	¡Oh, fortísimo Sansón!	
	¿Cómo estás tan maltratado?	
	¡Oh, muy gracioso Absolón!	
	¡Oh, muy gran rey Salomón!	
	¿Cómo estás descoyuntado?	575
	¡Lloren todas las naciones	

546 *profetado*, 'profetizado'.
548 *cabado*, 'acabado'.
561 *tremibundo*, 'tremebundo'.
564 *foribundo*, 'furibundo'.
570 *gelo*, 'se lo'.
573 *Absolón*, 'Absalón'.

con entrañable afición
las muy ásperas pasiones
y aflicciones
del gran *Tetragrammatón!* 580
¡Ay de ti, desconsolada!
¡Ay de ti, triste, abatida!
¡Oh, Jerusalén cuitada!
¡Cómo serás asolada!
¡Cómo serás destruida! 585
¡Mira cuánto profeté
de tu gran malicia ciega!
¡Mira cuánto lamenté
y lloré
este tu fin que se llega! 590
Pues que ya al tu Rey mataste,
en ti se convertirá
la maldad que ejercitaste;
pues tú le crucificaste,
piedra en ti no quedará. 595
Por vencer, fuiste vencida
de aquel muy gran Rey de gloria,
y su muerte, aunque afligida,
entristecida,
fue esclarecida vitoria. 600
De la cual esta bandera
con cinco plagas bordada,
queda en señal verdadera
d'aquella cruz de madera
do fue nuestra fe sellada. 605
Aquest'es el estandarte
con que somos vencedores,
y el demonio ya no es parte
con su arte
de dar penas ni dolores. 610

PEDRO: Moisén bien prefiguró
esa bandera, por cierto,
cuando la serpiente alzó
con la cual sanó y libró

---

580 'Tetragrammaton'. En griego 'el de las cuatro letras'; es decir, IHWH, Jehová.
602 *plagas*, 'llagas'.
611 *Moisén*, 'Moisés'.

	todo el pueblo en el desierto.	615
DIONISIO:	¡Oh, pelicano muy vero,	
	que te dexas desgarrar	
	con amor muy verdadero	
	y muy entero	
	por bien tus hijos criar!	620
MADALENA:	¡Oh, cuán gran dolor me dio	
	cuando a la Madre sagrada	
	a Juan por hijo le dio,	
	y también a él dejó	
	a su Madre encomendada.	625
MATEO:	Quien contempla verle dar	
	por beber vinagre y fiel,	
	más dulce l'es el llorar,	
	sin dudar,	
	qu'el azúcar y la miel.	630
MADALENA:	¡Si vieras, aunqu'espirado,	
	darle una lanzada fiera	
	que le abrió todo el costado,	
	por el cual ha destilado	
	sangre y agua verdadera!	635
PEDRO:	Sello y fin de sus tormentos	
	esta sancta llaga fue	
	y fuente de sacramentos,	
	alimentos	
	do se ceba nuestra fe.	640
MADALENA:	¡Qué fue verlo desclavar	
	de la cruz sus pies y manos,	
	y en el regazo le echar	
	de su Madre a reposar,	
	ya contentos los profanos!	645
MARÍA CLEOFÁS:	Con sus lágrimas lavaba	
	las llagas y las heridas;	
	con su velo las limpiaba	
	y enjugaba	
	con angustias doloridas.	650
MATEO:	Con voz muy ronca llamaba	
	los que iban por el camino;	

616 *vero*, 'verdadero'.
627 *fiel*, 'hiel'.
640 *ceba*, 'alimenta'.

muy humilde los hablaba
y humilde se querellaba
con un sollozo benigno.   655
Y a los que seguían vía
o iban algo prolongados,
con sospiros los traía
y les decía
con gemidos aquejados: 660
«O vos omnes, heus, heus,
qui hanc transitis per viam,
non est dolor sicut meus!
Filius meus factus reus!
Videte Matrem Mariam.   665
Videte cui ligauerunt
iudei manus et colum.
Videte quem despexerunt
et dimiserunt
eius discipuli solum.   670
Heu tibi, misera Mater!
Heu tibi, misera Filia!
Ecce, ecce meus Pater,
Sponsus, Filius et Frater,
qui habet vulnerum milia!   675
Attendite et videte
Iesum nostrum redemptorem.
Lachrymantes mecum flete
et dolete
videntes meum dolores.   680
Ecce iam quem cognoverunt
pastoresque in Bethlem
et reges adorauerunt

661-700   '¡Oh, vosotros todos, eh, eh, los que vais por el camino, no hay dolor como el
mío! ¡Mi Hijo hecho reo! Ved a la Madre María. Ved a quien los judíos ataron
las manos y el cuello. Ved solo a quien negaron y abandonaron sus discípulos.
¡Ay de ti, pobre Madre! ¡Ay de ti, pobre Hija! ¡He aquí, he aquí mi Padre,
Esposo, Hijo y Hermano, que tiene mil heridas! Escuchad y mirad a Jesús, nuestro redentor. Llorad conmigo derramando lágrimas y doleos viendo mi dolor. Es
Este el que conocieron los pastores en Belén y el que los Reyes adoraron y el que
el pueblo recibió con palmas en Jerusalén. ¡Aquí está despojado el que lavó los
pies de los pobres! ¡Aquí está flagelado y herido el que creó el mundo entero!
¡Aquí está coronado de espinas el que hizo las naciones! ¡Clavado por los pies y
por las manos, aquí está crucificado entre ladrones! ¡Aquí está en mi regazo el
cuerpo de mi Hijo! ¡Este es el Gusano, Este es el León enviado por Dios, el
Cordero de Dios!'. El texto no está redactado en el latín más perfecto.

et cum palmis receperunt
gentes in Hierusalem!   685
Adest modo spoliatus
qui pauperum pedes lauit!
Adest modo flagellatus
et vulneratus
qui totum mundum creauit!   690
Jam spinis coronatus
adest qui fecit nationes!
Pedes, manus perforatus
adest iam crucificatus
positus inter latrones!   695
Adest modo in gremio meo
iam corpus Geniti mei!
Ecce Bermis, ecce Leo
qui a Deo
fuit missus, Agnus Dei!»   700

MADALENA: Y después que se allegaban
al son d'aquestos clamores,
todos con ella lloraban,
llorando la consolaban.

Y ella hablaba con amores: 705
«Mirad ya cuán mal trataron
a mi Hijo los judíos;
pies y manos le enclavaron.
¡Cuál pararon
los dulces amores míos!   710
Mirá este cuerpo sagrado
cómo está lleno de plagas,
muy herido y desgarrado;
todo está descoyuntado.
¿Vistes nunca tales llagas?   715
Mirá qué fiera lanzada
que traspasa el corazón.
¡Oh, qué herida tan resgada!
¡Ay, cuytada,
sola y sin consolación!»   720

MARÍA CLEOFÁS: De rato en rato besaba
su helada boca fría;

712   *plagas*, 'llagas'.
718   *resgada*, 'rasgada'.

43

	pies y manos no olvidaba;	
	suspiraba y desmayaba	
	y con El se amortecía,	725
	sus ojos en El cebando,	
	no se hartando de lo ver	
	y cient mill gemidos dando	
	y llorando	
	sin cesar ni fenescer.	730
MADALENÁ:	¡Cuán desconsoladas fuimos,	
	mezquina entre las mezquinas,	
	cuando quitarle quisimos	
	la corona y no podimos	
	arrancarle las espinas!	735
	Y, aunque en el casco atoradas,	
	poco a poco las sacamos	
	y sus carnes delicadas,	
	desvenadas,	
	llorando aromatizamos.	740
DIONISIO:	Vamos, hermanos, a vello,	
	pues que en vida no le vi,	
	razón es de conoscello,	
	servillo y obedescello,	
	aunque desdichado fui.	745
MADALENA:	No es posible, hermano mío,	
	verlo ya, qu'es sepultado.	
DIONISIO:	¡Oh, Dios del gran poderío	
	y señorío!	
	¡Cómo estoy desconsolado!	750
	Muéstram'ora el monumento	
	de aquel Dios de perfición,	
	porque ya mi sentimiento	
	me combate con tormento	
	y ha muerto mi corazón.	755
MADALENA:	Que me plaz.	
DIONISIO:	Pues no tardemos.	
MADALENA:	Andá, que cerca est'aquí.	
PEDRO:	Todos, todos le adoremos	
	y alabemos.	

736 'clavadas, incrustadas en el cráneo'.
739 *desvenadas*, 'sin color de sangre, pálidas'.
751 'Muéstrame ahora'.
756 *plaz*, 'place, agrada'.

DIONISIO: ¿Y adónde está?
MADALENA: Veslo allí.   760

(Aquí se han de hincar de rodillas los recitadores delante del monumento, cantando esta canción y villancico en canto de órgano:)

> Adorámoste, Señor,
> Dios y hombre verdadero,
> el cual, con muy sancto amor,
> sufriste muerte y dolor
> por el pecado primero.   765
> ¡Oh, precioso monumento
> donde nuestro bien se encierra,
> Dios del cielo y de la tierra!
> Adorámoste humilmente
> con entrañas cordïales.   770
> ¡Oh, monumento excelente,
> vida para los mortales!
> ¡Oh, salud de nuestros males,
> paz viva de nuestra guerra,
> donde nuestro bien s'encierra!   775
> De aquel divino secreto
> tu eres el secretario;
> del Cuerpo sacro, perfeto,
> tú eres el sanctuario.
> ¡Oh, muy precioso sagrario   780
> donde nuestro bien s'encierra,
> Rey del cielo y de la tierra!
> Di, ¿por qué mueres en cruz,
> universal Redemptor?
> ¡Ay, que por ti, pecador!   785
> Contemplando tu grandeza,
> te vi, chiquito, nascer
> y poco a poco crescer
> en nuestra naturaleza.
> Sufriste much'aspereza   790
> siendo del mundo Señor.
> ¡Ay, que por ti, pecador!
> Vite, niño, disputar

769   *humilmente*, 'humildemente'.
777   *secretario*, 'el depositario del secreto'.

con los sabios en el templo;
vite siempre dar enjemplo 795
cómo debemos obrar;
a nadie te vi dañar.
Mueres como malhechor.
¡Ay, que por ti, pecador!
Vi la gran solemnidad 800
que se hizo tanto bien,
cuando entró en Jerusalén
tu divina Majestad.
Predicaste la verdad.
Mueres como malhechor. 805
¡Ay, que por ti, pecador!
Vit'el jueves despedir
de tus amigos y hermanos,
y lavarles con tus manos
sus pies que te han de seguir. 810
Di, ¿por qué quieres morir
en cruz como robador?
¡Ay, que por ti, pecador!
Vite preso y azotado,
vite tres veces negar 815
y vite abofetear,
escopido y remesado
y d'espinas coronado.
Te llaman blasfemador.
¡Ay, que por ti, pecador! 820
Vi tu cuerpo delicado
llevar a cuestas la cruz,
escurecida su luz,
denegrido, amortiguado.
Di, ¿por quién has derramado 825
tanta sangre por sudor?
¡Ay, que por ti, pecador!
Véote, Señor, clavado
en esa cruz que trujiste.
Cuando «Sed he» tú dejiste, 830
fiel y vinagre te han dado.

---

824 *amortiguado*, 'dejado por muerto'.
829 *trujiste*, 'trajiste'.
830 *dejiste*, 'dijiste'.
831 *fiel*, 'hiel'.

Y en abriendo tu costado
perdió el sol su resplandor.
¡Ay, que por tí, pecador!
Y allí luego se cumplieron,   835
juntamente con tus días,
todas cuantas profecías
de ti, Señor, se escribieron.
Di, Señor, ¿cómo pudieron
matar a su Hacedor?   840
¡Ay, que por ti, pecador!

LAUS DEO

Libertad y código social...
Comedia Himenea

de Bartolomé de Torres Naharro

Introducción

Bartolomé de Torres Naharro

Si hemos de aceptar los datos de la carta latina de Mesinie-
rus I. Barberius Aurelianensis a Jodocus Badius Ascensius,
carta que sigue al *Prohemio* [1] de la *Propalladia,* sabemos que
nuestro autor fue natural de Extremadura, de la Torre de Miguel Sexmero, en la provincia de Badajoz, y que se llamó
Bartolomé de Torres Naharro. La fecha exacta de su nacimiento no está clara, pero, siguiendo a Gillet —su estudioso
más conocido [2]—, podemos suponer que nació hacia 1485. En
efecto, una de sus obras, la *Comedia Jacinta,* escrita probablemente entre 1514 y 1515, hace alguna alusión supuesta-
mente autobiográfica, que ha permitido a los críticos fijar el
año aproximado de su nacimiento.

Conocemos datos muy poco seguros sobre la vida de Torres
Naharro. Debió de estudiar, según suponen Menéndez
Pelayo [3] y Gillet [4], en la universidad de Salamanca, quizás en
calidad de capigorrón, pero no sabemos si obtuvo título alguno. Más tarde fue ordenado sacerdote, probablemente en su
diócesis natal, ya que el privilegio papal que acompaña a la
Propalladia hace alusión a Torres Naharro como «clericus Pa-
censis diocesis» [5].

En los primeros años del siglo XVI debió de alistarse en el
ejército real, y, con él, recorrió diversos lugares de Andalucía

---

[1] *Propalladia...* Ed. Gillet, t. I, pág. 144.
[2] Id., t. IV, págs. 401-402.
[3] Marcelino Menéndez Pelayo, *Estudios y discursos de crítica histórica y
literaria,* Madrid, C.S.I.C., 1941, t. II, pág. 272. Es el prólogo a la edición
del teatro de Naharro hecha por Manuel Cañete.
[4] *Propalladia...* Ed. Gillet, t. IV, pág. 402.
[5] Id., t. I, pág. 146.

y Valencia [6], de donde se embarcó para Italia, siendo capturado por piratas «agarenos». Tras su liberación, que verosímilmente se produjo poco después, si se piensa en la poca repercusión que tuvo en la obra del autor, llegó a Roma. Gillet [7] puede imaginar, partiendo como casi siempre de ciertos indicios de la obra naharresca, que fue asaltado por los piratas muy cerca de la ciudad papal, donde debió de instalarse hacia 1508.

No se sabe cuándo dejó la milicia para entrar al servicio de los cardenales romanos. En todo caso, parece posible (y así lo han afirmado los críticos de Torres Naharro) ver en la *Soldadesca* y la *Tinellaria* dos de sus comedias más famosas, referencias notables a la vida militar y a la existencia palaciega de quien frecuentó las cocinas de sus protectores, los altos dignatarios eclesiásticos.

En el estudio de la vida de Torres Naharro la suposición y la posibilidad son elementos frecuentes. El autor aparece y desaparece en sus obras, se muestra y se desvanece como en un significativo juego entablado con el lector o el espectador. La personalidad de Torres Naharro resulta atractiva en la falta de precisión que para nosotros tienen sus rasgos. Fue, tal vez, uno de aquellos aventureros que, faltos de una base sólida de asentamiento social en su medio ambiente de origen, menudearon por las cortes europeas y por las ciudades españolas en busca de mejores soles. No sin razón identificó Américo Castro [8] a Naharro como uno de los autores conversos que crearon el teatro castellano. El carácter evanescente de su figura es uno de los rasgos inherentes a la vida del español converso.

Nuestro escritor buscó la protección de personajes poderosos en Roma y Nápoles. Y, de hecho, unas cuantas comedias suyas fueron representadas en la corte pontificia de León X. En 1517 publica la *Propalladia*, y, en ese momento, parece producirse un cambio en la vida palaciega del autor. Tal vez los ataques contenidos en sus obras o el espíritu aventurero que le animaba le hicieron cambiar de aires. La *Propalladia* se reimprime en 1520 y 1526 en Sevilla, con los añadidos de las comedias *Calamita* y *Aquilana*. Una vez más, el contenido

---

[6] Id., t. IV, pág. 403. Señala Gillet una serie de indicios de las obras de Naharro, que parecen apuntar hacia un conocimiento directo de esa realidad española.

[7] Id., t. IV, pág. 404.

[8] Américo Castro, *De la edad conflictiva...* (Vid. bibliografía del *Auto de la Pasión*, de Lucas Fernández.) Vid. también el artículo «Retratos de conversos en la *Comedia Jacinta*, de Torres Naharro», de Stephen Gilman (*Nueva Revista de Filología Hispánica*, XVII, 1966, págs. 20-39).

anecdótico de la producción literaria ha inducido a la crítica [9] a ver en la influencia andaluza existente en estas obras la presencia de Bartolomé en Sevilla, como familiar del obispo de las Escalas.

Gillet sugiere como fecha probable de la muerte de Naharro el año 1520, y no 1530, como pensó Menéndez Pelayo, o 1524, como el mismo Gillet había supuesto anteriormente [10]. ¿Quién fue este Bartolomé de Torres Naharro? Resulta una figura difícil de aprehender. El mismo está creando su propio personaje a través de los indicios inscritos en sus propias obras. La carta de Barberius, ya citada, nos da un retrato de nuestro autor. «Visu affabili —dice [11]—, persona grandi, gracili et modesto corpore, incessu grauiori, verbis parcus, et non nisi premeditata et que statera ponderata habentur, verba emittit. Is demum ab omni genere viciorum se abstinere, virtutesque omnes sumopere amplecti non desinit». Pero tampoco tenemos datos precisos sobre la identidad de este Barberius, que escribió desde el palacio «Illustrissimi Domini mei D. Ducis de Nerito» [12].

La obra teatral de Torres Naharro se compone del *Diálogo del Nascimiento* y de las ocho comedias tituladas *Serafina, Trofea, Soldadesca, Tinellaria, Himenea, Jacinta, Calamita* y *Aquilana*. Con variantes en lo que al número de obras se refiere y que no podemos identificar en esta introducción [13], las obras de Torres Naharro se publican reunidas en la *Propalladia*, de la que se conocen nueve ediciones (la primera es de 1517) en el siglo XVI. Incluso se supone la existencia de una décima, hecha en Amberes en 1548. Alguna de las comedias *(Soldadesca, Aquilana)* se imprimió suelta.

Al frente de la *Propalladia*, Torres Naharro publicó su famosísimo *Prohemio*, donde trazó las grandes líneas que estructuran sus comedias. Esta *Propalladia* («a prothon, quod est primum, et Pallade, id est, prime res Palladis» [14]) fue concebida como una colección de las obras primerizas del autor, el cual considera sus comedias como plato fuerte, como «cosas de mayor subjecto» [15].

Naharro es el primer dramaturgo que, en el Renacimiento, reflexiona en castellano sobre los condicionamientos teóricos del teatro. Deja de lado la opinión de los tratadistas antiguos (Cicerón, Acrón, Horacio) y «quiero ora dezir yo mi pares-

[9] *Comedias...* Ed. McPheeters, pág. 15.
[10] *Propalladia...* Ed. Gillet, t. IV, pág. 417.
[11] Id., t. I, pág. 144.
[12] Id., pág. 145.
[13] *Vid.*, sobre este punto, *Tres comedias...* Ed. López Morales, pág. 17.
[14] *Propalladia...* Ed. Gillet, t. I, pág. 141.
[15] Id., pág. 142.

cer» [16]. Naharro define la comedia como «artificio ingenioso de notables y finalmente alegres acontecimientos, por personas disputado» [17]. Prefiere la división en cinco actos, a los que «yo les llamo jornadas, porque más me parescen descansaderos que otra cosa, de donde la comedia queda mejor entendida y rescitada» [18]. Las personas de la comedia «no deuen ser tan pocas que parezca la fiesta sorda, ni tantas que engendren confusión» [19]. Y sugiere Naharro que el número de personajes oscile entre seis y doce. Reclama la propiedad en el comportamiento de los caracteres y en el ambiente general de la obra. Divide las comedias en dos clases: las *comedias a noticia* y las *comedias a fantasía*. Y las define así: «a noticia s'entiende de cosa nota y vista en realidad de verdad como son Soldadesca y Tinellaria; a fantasía, de cosa fantástiga o fingida, que tenga color de verdad aunque no lo sea, como son Seraphina, Ymenea, etc.» [20]. Finalmente sugiere dos partes en la comedia: el introito y el argumento, es decir la fábula, aunque acepta el que los discretos puedan añadir o quitar a su gusto.

La «Comedia Himenea»

Es posiblemente la obra capital del teatro de Torres Naharro. Frente al estilo agitado, tumultuario, de la *Tinellaria* y la *Soldadesca,* la *Himenea* supone un cambio fundamental en lo que a la ordenación dramática, a los caracteres y al espíritu general de la obra se refiere. No olvidemos que, siguiendo las indicaciones de su autor, hemos pasado de una *comedia a noticia* a una *comedia a fantasía.*

La *Himenea* parece haberse inspirado en los actos 12, 14 y 15 de la *Celestina* de 16 actos, y en los 1 y 19 de la de 21 [21]. Pero la preocupación profunda de Naharro se manifiesta en un sentido diametralmente opuesto al que orienta la tragedia de Rojas. «Todo conlleva aquí al conjunto, a la unidad; el sencillo argumento es un proceso gradual que desemboca en la felicidad de los amantes, tras vencer las resistencias creadas para el caso» [22]. Si la *Celestina* supone la destrucción de unas estructuras por la vía de la violencia y de la muerte, la *Himenea* llega a modificar profundamente un sistema de valores

---

[16] Id.
[17] Id.
[18] Id.
[19] Id.
[20] Id., pág. 143.
[21] *Vid.* Romera Navarro, «Estudio de la *Comedia Himenea...*», pág. 21.
[22] *Tres comedias...* Ed. Lopez Morales, pág. 59.

subyacentes en la ordenación social, recurriendo al único instrumento de la voluntad firme del individuo. Y todo ello sin muerte ni violencia notable. Después volveremos sobre este problema.

En la comedia el caballero Himeneo, loca y rápidamente enamorado de Febea, mujer noble, la ronda con la ayuda de músicos y cantores, hasta que logra ser admitido en la casa de la amada la noche siguiente a la iniciación del asedio de la mujer. El Marqués, personaje innominado, hermano de Febea, sorprende a Himeneo cuando sale de ver a Febea al amanecer. Ante la huida del amante, el Marqués decide matar a su hermana para limpiar la mancha caída sobre el honor familiar. Las protestas de Febea y la invocación de su derecho a elegir marido retrasan la ejecución de la venganza ritual hasta la llegada de Himeneo. Los dos amantes anuncian su matrimonio secreto. El Marqués, después de comprobar la calidad del linaje de Himeneo, accede a la boda. La obra termina con un villancico.

Dos elementos deben añadirse a esta trama central del «argumento» (o fábula). En primer lugar, la existencia de un microcosmos paralelo al de los señores, en el que viven, conspiran, aman y odian los criados de Febea, de Himeneo y del Marqués. Y en segundo lugar, el introito que sirve de introducción a la comedia como parte fundamental de ella, si hemos de aceptar las indicaciones del *Prohemio* naharresco. En el introito, el rústico de turno habla de sus aventuras amorosas y de su boda, lo cual viene a coincidir con el contenido semántico del título de la comedia y con la fábula misma, en la que se celebra el final *socialmente aceptable* de los amores entre un caballero y una dama, es decir, el matrimonio [23].

En el introito, Torres Naharro ha presentado dos partes. En primer lugar, un pastor que, en el sociolecto propio de este tipo de personajes —el sayagués o lengua dramática de los personajes rústicos de Encina, Fernández, etc.—, presenta la versión grosera del acontecimiento matrimonial, la dimensión socialmente inaceptable. Es decir, la historia de quien, después de haber sido «garañón» o semental del rebaño de mozas del pueblo, acaba casándose y teniendo un hijo, cuyo parecido físico con el abad del lugar resulta sorprendente. El pastor quisiera tener otro con los rasgos del arcipreste. Todo lo cual viene a poner de manifiesto el sistema de valores que, por oposición, se va a proponer al público espectador de la comedia. Si el pastor tiene hijos con la «colaboración» de los eclesiásticos del lugar, también los quisiera «hacer» —y a pa-

[23] *Vid.*, sobre este punto, *Propalladia...* Ed. Gillet, t. IV, pág. 516.

res— con Juana la Jabonera, es decir, fuera del matrimonio. El esquema sociológico predicado por el rústico personaje es el contrapunto del que va a proponer el «argumento». Y eso es lo que ocupa el segundo lugar del introito, adelantando el contenido de la comedia misma e identificando sus elementos esenciales.

En el desarrollo de la obra aparecen algunos puntos que merecen una reflexión especial. En primer término, el problema del honor. La reputación familiar puede quedar definitivamente comprometida por la actitud desenvuelta de Febea en sus relaciones con Himeneo. Febea resiste brevemente a la pasión de Himeneo, pero finalmente cederá. Y el Marqués, para quien «la vida / por la fama es bien perdida» (vv. 798-799), decide matar a los dos amantes. Pero hay que señalar la diferencia abismal que separa a este «celoso» guardián del honor familiar de los que alimentan la práctica teatral de Lope de Vega o de Calderón. El Marqués, en vez de proceder violentamente a la venganza, retrasa provisionalmente la acción para irse a comer y a dormir, con el fin de estar descansado para la noche siguiente (vv. 814-817).

Cuando el Marqués sorprende a Febea, después de la huida de Himeneo, plantea el problema con la pregunta clave:

> «¿Para tan gran deshonor
> habéis sido tan guardada?»

(Vv. 1332-1333.)

Febea acepta la muerte impuesta por el código del honor, reconoce que está sujeta a su hermano, pero, en el fondo, está rompiendo dicho código, porque pide la palabra y habla. Y habla mucho. Invoca su derecho a vivir y a amar, derecho que destruye la presunción de culpabilidad que el código impone. Y hace una llamada a la opinión común:

> «¿cuál será el hombre o mujer
> que no le doldrá mi muerte,
> contemplando
> por qué y dónde, cómo y cuándo?»

(Vv. 1444-1447.)

La escena entre Febea y el Marqués, con la *imposible* muerte que el hermano quiere dar a la muchacha, es la versión caricatural y, en consecuencia, marcada ideológicamente por el anticódigo del honor. Cuando el Marqués invita a Fe-

bea a confesarse para prepararse a morir estamos cerca del
teatro del absurdo [24].

La entrada precipitada de Himeneo viene a aclarar la situación y a crear un nuevo orden en las relaciones rotas. El y
Febea son ya marido y mujer. Himeneo es de tan buen linaje
como ella. Sólo falta el acuerdo y el consentimiento dé Febea.
Y es aquí donde Torres Naharro ha roto definitivamente el
orden vigente en el microcosmos familiar de la obra. Febea
rechaza a su hermano y le da la razón de su actitud:

>*«... Porque paréis mientes*
>*que me quesistes matar*
>*porque me supe casar*
>*sin ayuda de parientes,*
>*y muy bien.»*

(Vv. 1598-1602.)

La línea de autoridad ha quedado aniquilada, el orden familiar destruido. Y aunque Himeneo cubre las apariencias diciendo que el Marqués obró como convenía según la norma
social (vv. 1607-1609), no es más que una invocación efímera
del orden anterior, puesto que la boda entre los que han roto
el equilibrio se realizará con gran placer de todos. Con lo cual
la comedia predica una ruptura de la norma social opresiva y
una aceptación del libre matrimonio de los enamorados. Torres Naharro ha procedido, con una ironía muy aguda, a proponer un modelo de ordenación familiar que funciona con
arreglo a criterios dialécticamente opuestos a los que estaban
vigentes en la España de la época. Y el villancico final, ento-
nando «victoria», es el cántico que saluda una nueva manera
de vivir la dependencia familiar y el problema de la honra
colectiva.

En las relaciones sociales propuestas en la comedia surge
otro mundo paralelo al familiar y estrechamente ligado con
él, el de los criados y criadas. Torres Naharro ha abierto en la
Himenea un tema, presente ya en la *Celestina* [25], que supone

---

[24] Stanislav Zimic, en un verboso artículo de innecesaria longitud y de
inefable agresividad contra casi toda la crítica naharresca anterior a él («El
pensamiento humanístico y satírico de Torres Naharro», 1978), señala el
carácter irónico de la *Himenea* en lo que al tratamiento del tema de la
honra se refiere. Pero la vena indicada queda envuelta y, a menudo, perdida en tan prolijo discurso.
[25] *Vid.* José Antonio Maravall, *El mundo social de «La Celestina».* Madrid, Gredos, 1968. Del mismo Maravall, «Relaciones de dependencia e
integración social: criados, graciosos y pícaros» (*Ideologies & Literature,* I,
1977, núm. 4, págs. 3-32).

también una modificación en las relaciones humanas, las del amo y el criado, en este caso.

En la crisis social que provoca la fase de crecimiento de la economía, de la cultura y de la vida entera en la sociedad de finales del siglo XV y principios del XVI, el sistema de relaciones entre dominadores y dominados, señores y criados, tenderá a modificarse o, por lo menos, será objeto de dramatización por parte de ciertos escritores enfrentados con el problema de la ordenación social. Torres Naharro, en su condición de «criado» de diversos palacios señoriales, abre aquí una interrogante que no puede ser evitada.

A pesar de los contactos esporádicos entre los criados de Himeneo (Eliso y Boreas) con el del Marqués (Turpedio) y con la de Febea (Doresta), la verdadera oposición se establece entre el grupo noble, el de los señores, y el de los servidores. Esta relación se manifiesta sobre todo en tres ocasiones: la escena entre Boreas y Eliso, después de la salida de Himeneo, en la jornada primera; la jornada tercera, en que aparece la verdadera dimensión del mundo servil; y el desenlace y reconciliación general.

En la jornada primera Eliso y Boreas dejan de lado toda preocupación por la honra con tal de salvar sus vidas, y hacen gala, sobre todo Eliso, de una grosera manera de concebir el trato con las mujeres:

> «... *gozallas*
> *y no perderse tras ellas,*
> *oíllas y no creellas,*
> *sacudillas y dejallas.»*

(Vv. 415-418.)

Y aunque, a espaldas de Himeneo, se permiten ciertas actitudes y observaciones de desprecio hacia su señor, aceptan la condición de criados que les viene impuesta por la inmóvil sociedad estamental.

Al llegar la segunda jornada Himeneo ofrece sendos regalos a sus dos servidores por la ayuda que le han prestado. Pero Eliso no acepta el don, provocando una reacción semejante en su compañero Boreas, porque no quiere que Himeneo quede

> «... *descompuesto*
> *por componer tus criados.*
> *Ten cordura,*
> *que tu largueza es locura.»*

(Vv. 748-751.)

Al llegar a la jornada tercera los dos criados vuelven a plantear, entre ellos solos, el problema de sus relaciones con el señor. Y ahora Boreas le acusa a Eliso de haber sido necio rechazando el regalo de Himeneo. Se enfrentan así dos concepciones. Boreas afirma la necesidad que el criado tiene de ser fiel al señor, pero sin ir contra sus propios intereses. Eliso siente pena de Himeneo,

> *«de verle, para quien es,*
> *más pobre que tú ni yo.»*

(Vv. 888-889.)

Boreas replica duramente, reclamando un trato justo por parte de los señores:

> *«Y aun porque son tan tiranos*
> *que de nuestro largo afán*
> *se retienen la moneda,*
> *debemos, con d'ambas manos,*
> *rescebir lo que nos dan*
> *y aun pedir lo que les queda.»*

(Vv. 932-937.)

Uno y otro dejan de discutir sobre la materia, «porque está bien disputada» (v. 973). Pero aunque afirman y confirman la estructura estamental de la sociedad, con sus consecuentes inmovilismos, indican, sin embargo, unas reclamaciones de «derechos» —paralelos a los invocados por Febea en el terreno de las relaciones familiares— que hacen de la *Himenea* una comedia innovadora, al mismo tiempo que estabilizadora y consolidadora, del orden social vigente.

De hecho, y este es el tercer punto que queríamos tratar, el desenlace de la obra naharresca viene a confirmar esta convergencia ideológica de las soluciones dadas a los problemas planteados en las dos dimensiones del conflicto dramático. Cuando el Marqués acepta el matrimonio socialmente válido —pero antisocialmente realizado— de Febea e Himeneo se va a proceder a solucionar los conflictos del mundo de los criados. Eliso y Boreas se dan «por servidores / a la señora Febea» (vv. 1636-1637). Y Febea los recibe «por hermanos» (v. 1638), contraponiendo de manera clara la noción de fraternidad a la de servidumbre. Ya en la jornada segunda Himeneo había propuesto la misma idea en la conversación con sus dos servidores. Allí les habla así:

59

> *«Pues callad, hermanos míos.*
> *Sed los que sois por entero,*
> *que yo os daré, si no muero,*
> *más que ropas y atavíos;*
> *que el amor*
> *es de hermano y no señor.»*

(Vv. 758-763.)

Febea no hace, pues, más que completar, en el momento del desenlace y de la elaboración del nuevo orden dramático, la anterior afirmación de Himeneo. Esta es posiblemente la brecha más profunda abierta por Torres Naharro en el mundo social previo a la acción dramática propiamente dicha. A partir de ahora los dos microcosmos no pueden funcionar como entidades unidas solamente por relaciones y lazos de sumisión o de dominación. La noción de fraternidad introducida por Febea modifica el universo dramático de manera profunda y está lejos de la brutal solución surgida, por ejemplo, en la *Celestina*. Febea quiere también hacer realidad el matrimonio de Doresta, su criada, con «uno d'estos galanes» (v. 1649). Nótese la promoción social connotada por el término «galanes». En perfecto paralelismo con la solución de los problemas amorosos de los señores, Febea propone «que le demos a escoger» (v. 1655) a Doresta. Y ante la negativa de los criados a aceptar el matrimonio que les ofrecen, Himeneo toma a su cargo la futura boda de la muchacha.

En conclusión, la *Himenea* es comedia que, sin recurrir a destruir violentamente las estructuras sociales del mundo dramático, las modifica y las humaniza, al mismo tiempo que solidifica las bases mismas de la organización estamental. Torres Naharro encontró la fórmula irónica capaz de dar respuesta amable y eficaz, dentro de la convención teatral, a los problemas planteados por la crisis social de finales del siglo XV. El público señorial de los palacios debió de ver en la *Himenea* algo más que una simple historia de amores entre un caballero y una dama.

La métrica de la «Comedia»

En toda la obra, incluido el introito, se respeta el mismo modelo, una estrofa de doce versos octosílabos —excepto el undécimo, tetrasílabo— agrupados con rimas consonantes según el esquema abcabcdeedff. La única excepción al modelo señalado la componen la canción (vv. 577-590) y el villancico (vv. 591-607) con que, en la segunda jornada, rondan los cantores a Febea, y el villancico que cierra la obra (vv. 1688-1698). Los esquemas métricos son los siguientes: En la primera canción se suceden un estribillo en octosílabos consonantes (abba^{4}a —el cuarto verso es tetrasílabo—) y una redondilla octosílaba (abba). La serie se cierra con otra estrofa igual que la primera. En el villancico alternan los estribillos de tres versos consonantes (a^{8}b^{4}b^8) y redondillas octosílabas (cddc). Hay tres estrofas del primer tipo y dos del segundo. El villancico final, en versos hexasílabos consonantes, está formado por un estribillo (abb), seguido de una estrofa de cinco versos (cddcc), para terminar con el estribillo de rimas invertidas con relación al primero (bba).

Nuestra edición

El texto de la *Comedia Himenea* que reproducimos ha sido tomado de la edición de Gillet (t. II, pp. 269-321), quien sigue la *Propalladia* impresa en 1517. Hemos modernizado la ortografía, rectificado algunos casos de puntuación dudosa y resuelto las contracciones con la utilización de los correspondientes apóstrofos. En las notas hemos aclarado ciertas alusiones necesarias a la comprensión del texto, pero no hemos comentado fenómenos frecuentes en la lengua de principios del siglo XVI, tales como la asimilación del fonema «r» del infinitivo por el «l» del pronombre enclítico de tercera persona (*sostenella* por *sostenerla*, etc.); el mantenimiento de grupos consonánticos desaparecidos en el español moderno (*conoscer* por *conocer*, *vámosnos* por *vámonos*, *sancto* por *santo*, etc.); las variaciones en el timbre vocálico del tipo *hobieran* por *hubiera*, *sepoltura* por *sepultura*, etc.; las formas anticuadas *agora* por *ahora*, *ansí* por *así;* la reducción del doble fonema bilabial en *comigo* por *conmigo;* los futuros del tipo *terná* por *tendrá*, *porná* por *pondrá*, en los que todavía no se ha producido la epéntesis o la metátesis que desfigura el tema n-r (tener, poner); las segundas personas del plural de las formas verbales, que aparecen en el estado *vistes* por *visteis*, *pensastes* por *pensasteis* o, en el más anticuado, *seríades* por *seríais*, etcétera.

Bibliografía selecta

1. Ediciones

Las ediciones más importantes de la *Himenea* están en:

Propalladia de Bartolomé de Torres Naharro. Nápoles, 1517. Hay otras ediciones de la obra en el siglo XVI, en Sevilla (1520, 1526, 1533-34, 1545), Nápoles (1524), Toledo (1535), Amberes (1546-1548) y Madrid (1573), amén de otras impresiones supuestas por los críticos.

Propaladia de Bartolomé de Torres Naharro. Edición de Manuel Cañete. Madrid, 1880-1900. 2 vols. (El vol. II lleva un prólogo de Marcelino Menéndez Pelayo).

Propaladia de Bartolomé de Torres Naharro. Edición facsímile de la de Nápoles, 1517. Madrid, Real Academia Española, 1936.

Propalladia and Other Works of Bartolomé de Torres Naharro. Edited by Joseph E. Gillet. Bryn Mawr-Filadelfia, University of Pennsylvania Press, 1943-1962. 4 vols. El vol. IV, *Torres Naharro and the Drama of the Renaissance,* fue transcrito, editado y completado por Otis H. Green, a la muerte de Gillet.

Tres comedias. Soldadesca. Ymenea. Aquilana. Edición, prólogo y notas por Humberto López Morales. Nueva York, Las Américas, 1965.

Comedias. Soldadesca. Tinelaria. Himenea. Edición, introducción y notas de D. W. McPheeters. Madrid, Castalia, 1973.

2. Estudios

CRAWFORD, J. P. W., *Spanish Drama before Lope de Vega*. *(Vid.* bibliografía del *Auto de la Pasión.)*

LIHANI, JOHN, «New Biographical Ideas on Bartolomé de Torres Naharro». *(Hispania,* LIV, 1971, págs. 828-835.)

— *Bartolomé de Torres Naharro*. Boston, Twayne, 1976.

MAZZEI, PILADE, *Contributo allo studio delle fonti italiane del teatro di Juan del Enzina e Torres Naharro*. Lucca, Amedei, 1922.

MEREDITH, JOSEPH, *Introito and Loa in the Spanish Drama of the Sixteenth Century*. Filadelfia, University of Pennsylvania Press, 1928.

ROMERA NAVARRO, M., «Estudio de la *Comedia Himenea*, de Torres Naharro». *(Romanic Review,* XII, 1921, págs. 50-72.)

ZIMIC, STANISLAV, «El pensamiento humanístico y satírico de Torres Naharro». *(Boletín de la Biblioteca de Menéndez Pelayo,* LIV, 1978, págs. 3-279.)

INTROITO Y ARGUMENTO

Mia fe, cuanto a lo primero,
yo'os recalco un Dios mantenga
más recio que una saeta,
y por amor del apero,
la revellada muy luenga   5
y la mortal zapateta.
¡Ahuera, ahuera pesares!
¡Sus d'aquí, tirrias amargas!
Vengan praceres a cargas
y regocijos a pares,   10
qu'el placer
más engorda qu'el comer.
Y an qu'esta noche garrida,
de los hombres y mujeres
quien menos huelga, más yerra;   15
sono que, juri a la vida,
s'han de buscar los praceres
hasta sacallos so tierra.
Yo, que más de dos arrobas

2 *recalco*, 'echo'.
5 *revellada*, 'reverencia'.
6 *zapateta*, 'salto, brinco'.
7 *ahuera*, 'afuera'.
8 *tirrias*, 'disgustos, preocupaciones'.
9 *praceres*, 'placeres'.
13 *an*, 'aun'.
16 *sono*, 'sino'; *juri*, 'juro'.
17 *praceres*, 'placeres'.
18 *so*, 'bajo, debajo de'.

engordé los otros días,   20
mientra que en alcamonías
m'anduve empreñando bobas,
más d'un año
huy garañón del rebaño.
Caséme dend'a poquito.   25
Mi mujer lugo parió
'n aquellotra Navidad
un dïabro de hijito
que, del hora que nasció,
todo semeja all Abad.   30
Harto, soncas, gano en ello,
que sabrá por maraviella
repicar la pistoliella
y antonar el devangello.
Tras d'aqueste,   35
quiero her un acipreste.
¿No sabés en quién quijera
hacer dos pares de hijos,
que me lo da el corazón?
En Juana la jabonera,   40
que me haz mil regocijos.
Cuando la mezo el jabón,
pellízcame con antojo,
húrgame allá no sé dónde,
sale despúes que se asconde   45
y échame agraz en ell ojo.
Ni an le abonda,
son que cro que va cachonda.
Por la fe de Sant'Olalla,

21 *alcamonías*, 'alcahueterías'.
24 *huy*, 'fui'; *garañón*, 'caballo semental'.
25 *dend'a poquito*, 'poco después'.
26 *lugo*, 'luego'.
31 *soncas*, 'seguramente, por cierto'.
32 *maraviella*, 'maravilla'.
33 *pistoliella*, deformación de 'epístola' (la de la Misa).
34 *antonar*, 'entonar'; *davangello*, 'evangelio'.
36 *her*, 'hacer'; *acipreste*, 'arcipreste'.
37 *quijera*, 'quisiera'.
41 *haz*, 'hace'.
42 *mezo*, 'mezclo'.
45 *asconde*, 'esconde'.
46 echar agraz en el ojo a alquien, 'decirle lo que le causa disgusto'.
47 *an*, 'aun'; *abonda*, 'basta'.
48 *son*, 'sino'; *cro*, 'creo'.

que la quiero abarrancar 50
si la cojo alguna vez.
Quizá si el hombre la halla,
podrá, sin mucho afanar,
matalle la cachondez.
Es un dïabro bulrrona, 55
peor que gallina crueca:
papigorda, rabiseca,
la carita d'una mona.
Y en beber
no nasció mayor mujer. 60
Con sus pies llenos de barro
nunca para ni sosiega,
trasegando de contino.
No bendice sono el jarro,
ni cree so en la bodega, 65
ni an adora sono al vino.
Saben ya grandes y chicos
con qué fe se desternilla,
que a la hostia no se humilla
y al cález da de hocicos. 70
¡Gran devota
de la pasión de una bota!
Comenzó nuestra querencia
de la mitá del verano
que guardaba los viñales. 75
Yo la vi su percudencia
con una honda en la mano,
que ojeaba los pardales.
A la fe, dola al dïabro.
Yo me llego para allá. 80
¿Qué diré? Mas ¿qué dirá?

---

50 *abarrancar*, 'meter en lance de que no se puede salir fácilmente'.
55 *dïabro*, 'diablo'; *bulrrona*, 'burlona'.
56 *crueca*, 'clueca'.
65 *so*, 'sino'.
66 *an*, 'aun'; *sono*, 'sino'.
70 *cález*,'cáliz'
74 *mitá*, 'mitad'.
75 *viñales*, 'viñas'.
76 *percudencia*, 'actitud de reto, de desafío'.
79 *dïabro*, 'diablo'.

Yo me aburro y os le habro.
Digo: «Hermana,
¿has venido esta mañana?»
La boba dizme en llegando   85
(que dio la vuelta corriendo
más redonda que un jostrado):
«¡Tirte, tirte allá, Herrando,
y al dïabro t'encomiendo,
que toda m'has espantado!»   90
Echole mano del brazo
y ella a mí del cabezón;
y en aquesta devisión
estovimos un pedazo
sin all hora   95
que se cayó la traidora;
y al dar de la bellacada
llévame recio tras sí,
que no pude sostenella.
Mia fe, yo no me doy nada,   100
sino que al cuerpo de mí
déjm'ir encima d'ella,
tomo a la hija del puto
y abajéle el ventrijón,
que la hice, en concrusión,   105
regoldar por el cañuto.
Dio un tronido
que atronó todo el ejido.
No penséis 'n esta materia
qu'ell hombre no resudaba   110
la gotaza sin remedio;
que, para santa Quiteria,
la boca me zalluzaba

82   *me aburro,* 'me atrevo'; *habro,* 'hablo'.
85   *dizme,* 'me dice'.
87   *jostrado,* 'virote de cabeza redonda'.
89   *diabro,* 'diablo'.
93   *devisión,* 'división'.
95   *sin all hora,* 'hasta la hora, hasta el momento'.
104 *ventrijón,* 'vientre'.
105 *concrusión,* 'conclusión'.
108 *ejido,* 'campo común a los vecinos del pueblo, donde se reúnen los ganados o se forman las eras'.
112 *para,* 'por'.
113 *zazullaba,* 'producía saliva abundante, babeaba'.

y el moco de palmo y medio.
No vistes mayor hazaña: 115
qu'el mozo perdió la habra,
y an la moza, pies de cabra,
que no mecía pestaña.
Dende acrás
quijo Dios y no hu más.   120
No me vee desde allí,
que con prazer anfenito
no se mea la camisa;
yo también, que, juri a mí,
como la miro un poquito,   125
todo me meo de risa.
Perdonay mi proceder,
si habro más que conviene;
qu'es loco quien seso tiene
noche de tanto pracer.   130
¡Puto sea
el más cuerdo dell aldea!
Y anque vergüenza traía
de meter mis sucios pies
en un tan limpio lugar,   135
soprico a la compañía
perdone, pues que ansí es,
lo que se puede emendar.
Que si cayeron en mengua
mis groseros pies villanos,   140
ayudalles han las manos,
como a las manos la lengua,
por un modo
que el ingenio supla todo.
Mas porque, según yo veo,   145

116 *habra*, 'habla'.
117 *an*, 'aun'.
119 *dende acrás*, 'desde allí'.
120 *quijo*, 'quiso'; *hu*, 'fue'.
122 *prazer*, 'placer'; *anfenito*, 'infinito'.
124 *juri*, 'juro'.
127 *perdonay*, 'perdonad'.
128 *habro*, 'hablo'.
130 *pracer*, 'placer'.
133 *anque*, 'aunque'.
136 *soprico*, 'suplico'.
138 *emendar*, 'enmendar'.

querréis saber la verdad
de todo mi pensamiento,
acá m'arroja el deseo,
mándame la voluntad,
guíame el conoscimiento,   150
tráeme vuestro valer,
dame voces vuestra fama.
Vuestra grandeza me llama.
No puedo menos hacer
de venir   155
do debo y quiero servir.
Cuando ninguno dijere
que me trae acá la sed
del gran haber que codicio,
pesemos lo que sirviere;   160
que no quiero más merced
de cuanto pesa el servicio.
Y aun si veo solamente
que agradescéis el cuidado,
desde agora, muy de grado,   165
vos hago d'él un presente;
que más es
la gloria que el interés.
No penséis, aunque esto diga,
que el servicio es tan perfecto   170
como todas las bondades;
que es un poco de fatiga
sacada del intelecto
y envuelta en mil liviandades.
No es comedia de risadas,   175
pero la que es, esa sea.
Intitúlase *Himenea*.
Pártese en cinco jornadas.
Soy contento
de os decir el argumento.   180
Notaréis que en sus amores
Himeneo, un caballero,
gentil hombre natural,
traía dos servidores:
un Boreas, lisonjero,   185
y un otro, Eliso, leal.
Himeneo noche y día

penaba por una dama,
la cual Febea se llama,
que en llamas de amor ardía.　　　　　　190
Tiene aquesta
una criada, Doresta.
Febea, aquesta doncella,
tiene un hermano, Marqués,
que entendía la conseja,　　　　　　195
el cual procura por ella
desque sabe el entremés
que Himeneo la festeja.
Buscando el Marqués remedio
para podellos coger,　　　　　　200
suele consigo traer
un paje suyo, Turpedio.
Y es osado,
muy discreto y bien criado.
Perseverando Himeneo　　　　　　205
con músicas y alboradas
en el amor de Febea,
el Marqués, con gran deseo
de acortalle las pisadas
como aquel que honor desea　　　　　　210
y cuando no se cataron,
con el hurto los tomó;
sino que él se le escapó
porque los pies le ayudaron.
Huye y calla.　　　　　　215
Torna con gente a salvalla.
De manera que tornando
para de hecho salvar
a su señora y su dama,
hallóla a ella llorando,　　　　　　220
que él la quería matar
por dalle vida a su fama.
Súpose tan bien valer,
que de allí parten casados,
y entr'ellos y sus criados　　　　　　225
se toma mucho placer.

---

197 *desque*, 'tan pronto como'; *entremés*, 'engaño, burla'.
222 *dalle*, 'darle'.

Por tal arte,
que alcanzaréis vuestra parte.

JORNADA PRIMERA

*(Himeneo, sirvo Boreas, siervo Eliso, Marqués y paje Tur-
pedio.)*

HIMENEO: Guarde Dios, señora mía,
vuestra graciosa presencia,   230
mi sola felicidad,
aunque es sobrada osadía
sin tomar vuestra licencia
daros yo mi libertad.
Pero en mi primer miraros   235
tan ciego de amor me vi,
que, cuando miré por mí,
fue tarde para hablaros
hasta agora
que de mí sois ya señora.   240
Habéisme muerto de amores
y dejáisme aquí en la plaza
donde publique mis yerros,
como aquellos cazadores
que, desque matan la caza,   245
la dejan para los perros.
Dondequiera que me halle
diré siempre que es mal hecho,
pues yo vos guardo en mi pecho,
vos me dejáis en la calle.   250
Bien me viene
que sin culpa muera y pene.

BOREAS: ¿Aun agora comenzamos,
y tantos duelos tenemos?

HIMENEO: ¿Qué hablas allá, villano?   255

BOREAS: Digo, señor, que nos vamos,
que mañana tornaremos
y quizá con mejor mano.

HIMENEO: Mas vame por la vihuela.

245 *desque,* 'tan pronto como'.

72

	Quizá diré una canción	260
	tan envuelta en mi pasión	
	que todo el mundo se duela,	
	sino aquella	
	que dolor no cabe en ella.	
BOREAS:	No podrás, señor, tañer,	265
	porque le falta la prima	
	y están las voces gastadas.	
HIMENEO:	No cures, hazla traer,	
	que el dolor que me lastima	
	las tiene bien concertadas.	270
BOREAS:	Aunque te sepa enojar,	
	haremos bien de nos ir.	
HIMENEO:	¿Y es tiempo d'ir a dormir?	
BOREAS:	Y aun hora de levantar.	
HIMENEO:	Calla, loco,	275
	que en mis males sabes poco.	
BOREAS:	Sepas que estás en error,	
	si tan grosero me hallas	
	como tú me certificas;	
	pues de cierto sé, señor,	280
	que, con la pena que callas,	
	es nada cuanto publicas.	
	Y si mueres por tal dama,	
	tienes muy justa querella,	
	pues otros mueren sin vella	285
	que se ahogan en su fama,	
	con decir	
	que es la vida bien morir.	
ELISO:	Dile d'eso y medraremos.	
HIMENEO:	¿Qué hablas allá entre dientes,	290
	almacén de negligencia?	
ELISO:	Que presto lo llevaremos	
	con los otros inocentes	
	a la casa de Valencia.	
HIMENEO:	No medre quien te vistió.	295
	¿Y a quién tienes de llevar?	
	Tú de mí debes hablar.	

263 *sino*, 'menos, excepto'.
267 *voces*, 'sonidos'.
293 *inocentes*, aquí 'locos'.
294 el hospital de locos, institución famosa en la Valencia de la España clásica.

ELISO:	Vos lo decís, que no yo.
HIMENEO:	¡Oh, borracho,
	mal criado y sin empacho!
ELISO:	Mas, señor, pues que ansí es,
	tu Señoría provea
	que ninguno aquí te halle,
	porque su hermano, el Marqués,
	de la señora Febea
	visita mucho esta calle.
	Trae muy buenos criados
	y tú los tienes mejores.
	Reniega de los amores,
	no vamos descalabrados.
HIMENEO:	Yo me quedo.
	Váyase quien les ha miedo.
ELISO:	Si quiere, señor, probar
	cuánto miedo les tenemos
	y saber cuánto nos tienen,
	anda, vete a reposar.
	Nosotros nos quedaremos
	a respondelles, si vienen.
HIMENEO:	Pues catad qu'estéis velando,
	porque vernán más de dos.
ELISO:	Vengan diez, ¡cuerpo de Dios!,
	que no se irán alabando.
BOREAS:	Ya viniesen,
	con tal que no nos huyesen.
HIMENEO:	Mientra que no os enojaren,
	no los corráis por agora,
	que sería inconveniente,
	sino que, si bravearen,
	por amor de mi señora
	los espantéis solamente.
ELISO:	Ve con Dios, deja hacer,
	que del lodo te pornemos.
BOREAS:	Habla paso, y acordemos
	lo que más es menester.

300

305

310

315

320

325

330

---

310 *vamos*, 'vayamos'.
312 *ha*, 'tiene'.
327 *inconviniente*, 'inconveniente'.
332 *pornemos*, 'pondremos'; poner del lodo es 'enlodar'. Este indicio es una didascalia implícita que connota el alejamiento de Himeneo con relación al locutor.

HIMENEO:	¡Digo, Eliso!	335
	Haz que estéis sobre el aviso.	
ELISO:	Muy modorro sois, amigo,	
	porque yo me sé guardar	
	de los peligros mundanos.	
BOREAS:	A la fe que estás comigo.	340
	Hagamos, por nos salvar,	
	como dos buenos hermanos.	
	Huigamos d'esta congoja	
	y apartémosnos del mal,	
	que, a la fe, todo lo ál	345
	es andar de mula coja.	
ELISO:	Pues sabrás	
	que agora te quiero más.	
BOREAS:	Bien tengo que te decir	
	d'una cierta amiga mía	350
	que se deshace por mí.	
	Pero, por no te mentir,	
	yo tengo en la fantasía	
	que no estamos bien aquí.	
ELISO:	Pues no temamos, ¡par Dios!,	355
	aunque en tus cosas hablemos,	
	que si nada sentiremos,	
	bien corremos todos dos.	
BOREAS:	No sé nada.	
	Mas ¿si la calle es tomada?	360
ELISO:	No temas, aunque eso sea,	
	que por las casas caídas	
	nos iremos con la luna	
	y, sin que nadie nos vea,	
	salvaremos nuestras vidas	365
	y sin deshonra ninguna.	
BOREAS:	Voto a Dios que has dicho bien	
	y que alabo tu razón.	

Eliso. El *habla paso*, 'habla en voz baja', que sigue, en boca de Boreas es el
indicio convergente que confirma el anterior.
343 *Huigamos*, 'huyamos'.
345 *al*, 'demás'.
355 *par Dios*, 'por Dios'.
362 Esta referencia a un lugar ciudadano, así como la de la Sillería, en el v. 500, es
de difícil identificación. Gillet, en su excelente estudio, piensa que Torres Naharro puede hacer alusión a la Roma que se estaba renovando en los finales del
siglo XV y principios del XVI.

	Pero mira aquel cantón,	
	que paresce no sé quién.	370
ELISO:	Ven seguro,	
	que era la sombra del muro.	
BOREAS:	Mira bien a cada parte.	
ELISO:	Ya lo tengo bien mirado	
	y es ansí como te digo.	375
BOREAS:	Pues de mí puedo jurarte	
	que no me había quedado	
	gota de sangre comigo.	
ELISO:	Pierde agora esos temores	
	si no has perdido el correr,	380
	y hazme tanto placer	
	que me cuentes tus amores	
	mientra vemos	
	que partir no nos debemos.	
BOREAS:	Pues que, hermano, tu deseo	385
	mis cosas saber desea,	
	la verdad d'ellas es ésta:	
	cuando nuestro amo, Himeneo,	
	se enamoró de Febea,	
	yo de su sierva Doresta.	390
	Y es tan hermosa doncella,	
	tanto gentil criatura,	
	que su ama en hermosura	
	puede bien vivir con ella.	
	Mas es tal	395
	que la juzgan sin igual.	
ELISO:	¿Hasle hablado algún día?	
	¿Cómo sabes que te quiere?	
	Guarda no pises abrojos.	
BOREAS:	Sin hablalle, juraría	400
	que por verme pena y muere,	
	si no me mienten los ojos.	
ELISO:	Yo no creo a enamorada	
	que me quiera bien jamás,	
	si, como santo Tomás,	405
	no le toco en la lanzada.	
BOREAS:	Yo confío	
	que es su querer cual el mío.	

369 *cantón*, 'esquina'.

ELISO:	¿Y no has leído aquel texto,	
	que maldito debe ser	410
	hombre que en nombre se fía?	
	Pues, si verdad es aquesto,	
	quien se fiase en mujer	
	muy más maldito sería.	
	A la fe, para gozallas	415
	y no perderse tras ellas,	
	oíllas y no creellas,	
	sacudillas y dejallas.	
	No lo digo	
	porque les soy enemigo.	420
BOREAS:	Mucho tienes de grosero.	
	Bien paresce, Eliso hermano,	
	que aun no te conosce amor;	
	que pensarías primero	
	que no está más en su mano	425
	del verdadero amador.	
	Porque aquel que pena y muere,	
	si bien ama y es ansí,	
	no puede hacer de sí	
	sino lo que amor quisiera,	430
	desque dio	
	su libertad a quien vio.	
	Por ende no hables más	
	en juzgar vidas ajenas,	
	pues das a muchos molestia;	435
	que si no quieres, querrás,	
	y penarás si no penas,	
	y caerás de tu bestia.	
	Pornás en amor tu fe	
	y alabarán sus fatigas,	440
	por mucho que agora digas	
	d'esta agua no beberé;	
	que por damas	
	honramos vidas y famas.	
ELISO:	Boreas, hermano mío,	445
	recia cosa es la razón	

---

409   Humberto López Morales (en Torres Naharro, *Tres comedias*, p. 129) sugiere
que el texto aludido es el de Jeremías, «Haec dicit Dominus: Maledictus sit
homo qui confidit in homine...»

431   *desque*, 'tan pronto como'.

contra lenguas desarmadas.
Y dicen que es desvarío
dar coces al aguijón
y a la carreta pernadas.   450
Acuerda, si nos iremos,
que será bien que nos vamos,
y también que proveamos
en buscar qué almorzaremos.

BOREAS: Nunca he gana   455
de almorzar por la mañana.

TURPEDIO: ¿Quién va allá? ¿Jugáis de pies?
Tornad un poco, galanes,
y llevaréis que contar.

MARQUÉS: ¡Turpedio!

TURPEDIO: Señor.

MARQUÉS: ¿Quién es?   460

TURPEDIO: No sé cuántos rufianes
que andaba a capear.

MARQUÉS: Mas ¿si los has conocido?
Guarda no fuese Himeneo.

TURPEDIO: Par Dios, señor, no lo creo,   465
porque no hobieran huido.

MARQUÉS: Antes, cierto,
huye de ser descubierto.

TURPEDIO: Puede ser; mas aquí viene
cada noche y cada día   470
con músicas y alboradas.

MARQUÉS: Si esa presunción él tiene,
¡voto a la Virgen María
yo le ataje las pisadas!

TURPEDIO: Déjalo, señor, hacer,   475
que es usanza del palacio
y es un modo de solacio
festejar y dar placer,
y un deporte
sin el cual no hay buena corte.   480

---

450   *pernadas,* 'golpes que se dan con la pierna, patadas'.
452   *vamos,* 'vayamos'.
457   *Jugáis de pies,* 'huis corriendo'.
462   *capear,* 'robar capas, especialmente en poblado y de noche'.
465   *Par Dios,* 'por Dios'.
471   *alboradas,* 'música al amanecer y al aire libre, para festejar a una persona'.
477   *solacio,* 'esparcimiento, solaz'.

MARQUÉS:	Bien me place el festejar,	
	mas no en mi casa, ¡par Dios!,	
	la verdad ora hablando,	
	porque, tras d'este cantar,	
	yo sé bien que más de dos	485
	se quedan después llorando.	
TURPEDIO:	Bien siento dó van tus flechas.	
	No temas, aunque eso sea,	
	que la señora Febea	
	no es d'esas que tú sospechas.	490
	¡Qué doncella	
	para burlarse con ella!	
MARQUÉS:	Tocaremos a la puerta	
	por ver qué hace, siquiera.	
	No nos vamos sin hablalle.	495
TURPEDIO:	No'stará, señor, dispierta.	
	Sería cosa grosera	
	dar voces ora en la calle.	
MARQUÉS:	Pues ¿dónde iremos agora?	
TURPEDIO:	Vamos por la Sillería,	500
	que presto será de día	
	y abrirá aquella señora,	
	y aun haremos	
	que nos dará que almorcemos.	
MARQUÉS:	No nos debemos partir,	505
	que a esta hora suelen dar	
	las músicas y alboradas.	
	Y si aquel ha de venir,	
	no puede mucho tardar.	
	Oigamos sus badajadas.	510
TURPEDIO:	Sí, que no vienen campanas	
	en las músicas que ordenan.	
MARQUÉS:	Vernán badajos que suenan	
	maitines por las mañanas.	
TURPEDIO:	Sin mentir	515

---

482 *par Dios*, 'por Dios'.
483 *ora*, 'ahora'.
496 *no'stará*, 'no estará'; *dispierta*, 'despierta'.
498 *ora*, 'ahora'.
500 *Vid.* nota al v. 362.
507 *alboradas*, 'música al amanecer y al aire libre, para festejar a una persona'.
510 *badajadas*, 'necedades'.

```
              por nos se puede decir,
              porque ha diez horas, señor,
              que andamos por la ciudad
              sonando como badajos,
              y cogemos poco honor,                      520
              a decirte la verdad,
              de aquestos vanos trabajos.
              Bien es un poco, por ende,
              pasear sobre la cena,
              y es usanza justa y buena                   525
              para mancebos, se entiende.
              Lo demás
              va muy fuera de compás.
MARQUÉS:      Pues yo te diré qué sea.
              Vámosnos ora a dormir                       530
              lo que queda hasta el día.
              Quédese con Dios Febea.
              Mañana podré venir
              a tentar su fantasía.
              Dame un poco ese laúd.                      535
              Iré tañendo quequiera.
              Forsa aquella escopetera
              que querrá hacer virtud.
TURPEDIO:     Sí hará,
              aunque en ella nunca está.                  540
```

JORNADA SEGUNDA

(BOREAS, HIMENEO, ELISO, FEBEA, CANTORES, MARQUÉS y TUR-
PEDIO.)

```
BOREAS:       ¿No hay nadie?
HIMENEO:                      Habla callando.
              Mira que tengo sospecha
              que aún están por ahí.
BOREAS:       Yo los vi, señor, cantando
              por esta calle derecha,                     545
              buen rato lejos de aquí.
```

---

519 *badajos*, 'necios'.
536 *quequiera*, 'cualquier cosa'.
537 *Forsa*, 'tal vez'; *escopetera*, 'prostituta de cuartel'.

HIMENEO:	Pues, ¡sus!, buen hora es aquesta	
	si no duermen mis amores.	
	Haz llegar esos cantores	
	y demos tras nuestra fiesta.	550
ELISO:	Aquí vienen.	
HIMENEO:	Llámalos, que se detienen.	
ELISO:	Caminad. ¿Qué estáis parados?	
HIMENEO:	Callando, ¡cuerpo de Dios!	
	¿Qué voces son ora aquéstas?	555
ELISO:	Pues si los tengo llamados	
	una vez y más de dos,	
	¿helos de traer a cuestas?	
HIMENEO:	No corrompas mis placeres.	
	Por tu fe que nos oigamos.	560
	Aquí sólo no riñamos	
	y, en casa, cuanto quisieres.	
CANTOR:	¿Qué haremos?	
HIMENEO:	Señores, que comencemos.	
CANTOR:	Acaba con esos trastes.	565
CANTOR:	Calla, pues, tú, majadero.	
CANTOR:	¡Cómo sobras de cortés!	
CANTOR:	¿Diremos lo que ordenastes?	
HIMENEO:	Sí, bien. La canción primero	
	y el villancico después.	570
	Pero yo os ruego, por tanto,	
	que vaya la cosa tal,	
	que se descubra mi mal	
	en vuestras voces y canto.	
	Por ventura	575
	se aliviará mi tristura.	

Canción

Tan ufano está el querer
con cuantos males padesce,
que el corazón se enloquece
de placer   580
con tan justo padescer.

---

555 *ora*, 'ahora'.
568 *ordenastes*, 'ordenaste'.

La pena con que fatigo
es de mí tan favorida,
que, de envidiosa, la vida
ya no quiere'star comigo.   585
Ella se quiere perder.
Vuestra merced lo meresce,
y el corazón se enloquece
de placer
con tan justo padescer.   590

Villancico

Es más preciosa ventura
vuestra pena
que cualquiera gloria ajena.
La pena que vos causáis,
los sospiros y el tormento,   595
con vuestro merescimiento
todo lo glorificáis.
Más codiciosa dejáis
vuestra pena
que cualquiera gloria ajena.   600
Los que nunca os conoscieron
penarán por conoceros;
y los que gozan de veros,
porque más antes no os vieron.
Que por mayor bien tovieron   605
vuestra pena
que cualquiera gloria ajena.

HIMENEO: No más, señores, agora.
Dejemos para otro día.
Poco y bueno es lo que place.   610
También porque esta señora
se paró a la gelosía.
Quiero saber lo que hace.
CANTOR: Vamos.
CANTOR: Vamos.

583   *favorida*, 'favorita, predilecta'.
612   *gelosía*, 'celosía'.

82

HIMENEO:	Id con Dios.	
BOREAS:	¡Ce, señor, buen tiempo tienes!	615
HIMENEO:	¡Oh, mayor bien de los bienes!	
	¿Es mi bien?	
FEBEA:	Mas ¿quién sois vos?	
HIMENEO:	Quien no fuese	
	ni más un hora viviese.	
FEBEA:	No os entiendo, caballero.	620
	Si merced queréis hacerme,	
	más claro habéis de hablarme.	
HIMENEO:	Y aun con eso sólo muero,	
	que no queréis entenderme,	
	sino entender en matarme.	625
FEBEA:	Cómo's llamáis os demando.	
HIMENEO:	Por las llamas que me dais,	
	del fuego que me causáis	
	lo podéis ir trasladando.	
FEBEA:	Gentil hombre,	630
	quiero saber vuestro nombre.	
HIMENEO:	Soy el que, en veros, me veo	
	devoto, para adoraros;	
	contrito, para quereros.	
	Soy aquel triste Himeneo	635
	que, si no espero gozaros,	
	no quisiera conoceros.	
	Porque en ser desconoscida,	
	me matáis con pena fuerte,	
	sabiendo que de mi muerte	640
	no podéis ser bien servida.	
	Pero sea,	
	pues por vos tan bien se emplea.	
FEBEA:	Bien me podéis perdonar,	
	que, cierto, no os conoscía.	645
HIMENEO:	¿Por qué estoy en vuestro olvido?	
FEBEA:	En otro mejor lugar	
	os tengo yo todavía,	
	aunque pierdo en el partido.	
HIMENEO:	Yo gano tanto cuidado	650
	que jamás pienso perdello,	
	sino que con merescello	
	me parece estar pagado,	
	pues padezco	

	menos mal del que merezco.	655
FEBEA:	Gran compasión y dolor	
	he de ver tanto quejaros,	
	aunque me place de oíros.	
	Y por mi vida, señor,	
	querría poder sanaros	660
	por tener en que serviros.	
HIMENEO:	Ojalá pluguiese a Dios	
	que queráis como podéis,	
	porque mis males sanéis	
	que'speran a sola vos.	665
FEBEA:	Dios quisiese	
	que en mí tal gracia cupiese.	
HIMENEA:	Esa y todas juntamente	
	caben en vuestra bondad,	
	pues os hizo Dios tan bella;	670
	pero d'esta solamente	
	tengo yo nescesidad,	
	aunque soy indigno d'ella.	
FEBEA:	Más merescéis que pedís,	
	aunque lo que es no lo sé;	675
	mas de grado lo haré	
	si puedo como decís.	
	Pero he miedo	
	que, sin dañarme, no puedo.	
HIMENEO:	Pláceme, señora mía,	680
	que me habéis bien entendido.	
	No os quiero más detener.	
	Vuestra mesma fantasía	
	vos dirá que lo que pido	
	lo compra bien mi querer.	685
	Y las mercedes pesadas	
	que con fatiga se hacen,	
	son las que alegran y placen	
	y las que son estimadas,	
	de las cuales	690
	todas las vuestras son tales.	
FEBEA:	Pues si puedo complaceros,	
	aclaradme en qué manera,	
	porque tengáis cosa cierta.	

662 *pluguiese*, 'agradase'.

84

HIMENEO:	Que cuando viniere a veros	695
	en la noche venidera,	
	me mandéis abrir la puerta.	
FEBEA:	¡Dios me guarde!	
HIMENEO:	¿Qué, señora?	
	¿Revocáisme ya el favor?	
FEBEA:	Sí, porque no me es honor	700
	abrir la puerta a tal hora.	
HIMENEO:	No son esas	
	vuestras pasadas promesas.	
FEBEA:	Pues ¿cómo queréis que os abra?	
	Que en aquellos tiempos tales	705
	los hombres sois descorteses.	
HIMENEO:	Señora, no tal palabra.	
	Si queréis sanar mis males,	
	no busquéis esos reveses.	
	Ya sabéis que mis pasiones	710
	no me mandan enojaros,	
	y no debéis excusaros	
	con excusadas razones,	
	de tal suerte	
	que me causáis nueva muerte.	715
FEBEA:	No puedo más resistir	
	a la guerra que me dais,	
	ni quiero que me la deis.	
	Si concertáis de venir,	
	yo haré lo que mandáis,	720
	siendo vos el que debéis.	
HIMENEO:	Debo ser siervo y cabtivo	
	de vuestro merescimiento,	
	y ansí me parto contento	
	con la merced que rescibo.	725
FEBEA;	Id con Dios.	
HIMENEO:	Señora, quede con vos.	
BOREAS:	Señor, pues has conseguido	
	la merced que deseaste	
	tan conforme a tu querer,	730
	cúmplenos lo prometido,	
	pues sabes que nos mandaste	
	las albricias del placer.	

722 *cabtivo*, 'cautivo'.

85

HIMENEO:	Hermanos, de muy buen grado,	
	que es razón en todo caso.	735
	Toma tú el sayón de raso	
	y tú el jubón de brocado,	
	que otro día	
	yo os daré mayor valía.	
BOREAS:	Dios haya de ti memoria	740
	y acresciente tu vivir	
	con honra y fama sin par,	
	y te dé tanta vitoria	
	que no tengas que pedir,	
	pues no te falta que dar.	745
ELISO:	Yo no quiero tus brocados,	
	ni consiento, ni es honesto	
	que quedes tú descompuesto	
	por componer tus criados.	
	Ten cordura,	750
	que tu largueza es locura.	
BOREAS:	Bien dices.	
HIMENEO:	No quiero yo	
	sino daros esto y más.	
ELISO:	No queremos un cabello.	
HIMENEO:	¿Por qué?	
ELISO:	Señor, porque no.	755
	Sino que lo que nos das	
	te debes honrar con ello.	
HIMENEO:	Pues callad, hermanos míos.	
	Sed los que sois por entero,	
	que yo os daré, si no muero,	760
	más que ropas y atavíos;	
	que el amor	
	es de hermano y no señor.	
ELISO:	Por eso, señor, tomamos	
	la voluntad por el hecho	765
	de tu mucha cortesía.	
	Mas si quieres que nos vamos,	
	sernos ha mayor provecho,	
	porque se hace de día.	
	Esta tarde tornaremos	770
	yo y Boreas paseando,	

---

739 *valía*, 'valor, precio'.
767 *vamos*, 'vayamos'.

	para ver, disimulando,	
	con qué esperanza vernemos.	
HIMENEO:	Ansí sea.	
	Quede Dios con mi Febea.	775
TURPEDIO:	Ce, señor, ¿oyes qué digo?	
	Veslos allá do han pasado,	
	que agora parten de aquí.	
MARQUÉS:	Pese al diablo comigo	
	porque nos hemos tardado,	780
	que no se fueran ansí.	
TURPEDIO:	Déjalos, señor, andar.	
	Tu Señoría no pene,	
	porque la noche que viene	
	no nos pueden escapar,	785
	que haremos	
	de modo que los tomemos.	
MARQUÉS:	¿Cómo se podrá hacer	
	que, si yo la noche vengo,	
	pueda ver toda la fiesta?	790
	Porque aunque sepa perder	
	la persona y cuanto tengo,	
	yo sabré qué cosa es ésta.	
	Y aun si lo tomo con ella,	
	prometo a Dios verdadero,	795
	y a fe de buen caballero,	
	de matar a él y a ella;	
	que la vida	
	por la fama es bien perdida.	
TURPEDIO:	Pues, señor, en conclusión,	800
	a vos no's cumple venir	
	antes de ser prevenidos;	
	y detrás de aquel cantón	
	estaremos a sentir	
	sin que seamos sentidos;	805
	y de allí, si estás alerta,	
	lo podrás ver bien entrar,	
	y ansí podemos saltar	
	para tomalle la puerta.	
	lo demás	810
	se hará como querrás.	

803   *cantón*, 'esquina'.

MARQUÉS:	Pues luego bueno sería,	
	sin que más aquí tardemos,	
	que nos vamos a comer	
	y que durmamos el día,	815
	pues la noche velaremos	
	como será menester.	
	Y aun venir acompañados	
	nos será cosa muy sana.	
	Quizá vernemos por lana,	820
	no tornemos tresquilados.	
	Y por ende	
	vengamos como se entiende.	
TURPEDIO:	Antes, señor, te prometo	
	que, con ayuda de Dios,	825
	tú y yo podemos bastar;	
	y también porque el secreto,	
	después que sale de dos,	
	es una cosa vulgar.	
	Pues si no rescibes pena,	830
	solos nos cumple venir,	
	porque no des a sentir	
	si tu hermana es mala o buena.	
	Ten buen seso,	
	que su honra está en tu peso.	835
MARQUÉS:	Y aun por eso yo procuro	
	que, aunque venga acompañado,	
	me la pague todavía.	
TURPEDIO:	D'aqueso yo te aseguro	
	que ningún enamorado	840
	se pagó de compañía.	
	Y cuando bien la trajere,	
	traerá sus dos criados,	
	que de sombras de tejados	
	huirá cual más pudiere.	845
MARQUÉS:	Ya se alcanza	
	hasta dó llega su lanza.	
TURPEDIO:	Pues, señor, no nos curemos	
	ni de sus armas temamos,	
	pues que no son Anibales.	850

814 *vamos*, 'vayamos'.
821 *tresquilados*, 'trasquilados'.

	Vengamos como debemos,	
	que nosotros dos bastamos	
	para cuatro lanzas tales.	
MARQUÉS:	Bien me consejas, por cierto.	
	Yo me confío de ti.	855
	Pero vámosnos de aquí,	
	no sientan nuestro concierto;	
	que en consejas	
	las paredes han orejas.	

JORNADA TERCERA

(BOREAS, ELISO, sierva DORESTA y TURPEDIO.)

BOREAS:	Pues, Eliso, hermano mío,	860
	no te quiero ser muy luengo	
	ni sé si te enojarás.	
	Mas con lo que en ti confío	
	y el gran amor que te tengo,	
	te diré lo que oirás.	865
	Por eso no te receles,	
	que los buenos servidores	
	han de ser a sus señores	
	muy leales y fieles;	
	mas no tanto	870
	que se pongan del quebranto.	
	Bien te debes acordar	
	desde ayer, a lo que creo,	
	nota bien lo que diré,	
	que no quesiste tomar	875
	lo que te daba Himeneo,	
	ni yo por ti lo tomé.	
	Ni me hagas entender	
	que aquélla fue lealtad,	
	que es la mayor necedad	880
	que nunca te vi hacer,	
	pues perdiste	
	lo que en diez años serviste.	

---

861 *luengo,* 'largo, pesado'.
863 *con lo que,* 'a causa de que'.

ELISO:	No tengas a maravilla	
	si no quise a dos por tres	885
	lo que nuestro amo nos dio,	
	que, cierto, tengo mancilla	
	de verle, para quien es,	
	más pobre que tú ni yo.	
	Si, cuando rico se viere,	890
	no se acordare de nos,	
	allá contará con Dios	
	cuando d'este mundo fuere.	
	Pues vivamos,	
	que no falta que vistamos.	895
BOREAS:	No das en todo el terrero,	
	ni por ahí te me escapas,	
	ni tienes razón ninguna;	
	porque es un necio grosero	
	quien puede tener dos capas	900
	y se contenta con una.	
	Pues si toca a los criados	
	de la pobreza del amo,	
	rico se llama y le llamo	
	quien puede haber mil ducados,	905
	como veo	
	que le sobran a Himeneo.	
	Y pues me haces hablar	
	y de tus cosas me espanto,	
	siendo discreto y sabido	910
	debrías considerar	
	que no nos puede dar tanto	
	como le habemos servido.	
	Y a quien le roba y le sisa	
	cuanto le viene en soslayo,	915
	la de la capa y el sayo	
	hasta quedarse en camisa.	
	Porque veas	
	do tus servicios empleas.	
ELISO:	Boreas, según que veo,	920
	no busques otro señor,	
	porque hablas con enojo;	

---

896 *terrero*, 'objeto o blanco que se pone para tirar a él'.
911 *debrías*, 'deberías'.

que por ruin que es Himeneo,
si hallas otro mejor,
yo quiero perder un ojo.   925
Todos hacen padescer
los servidores leales
y van a ser liberales
con quien no lo ha menester.
Dan entradas   930
a quien no tiene quijadas.

BOREAS: Y aun porque son tan tiranos
que de nuestro largo afán
se retienen la moneda,
debemos, con d'ambas manos,   935
rescebir lo que nos dan
y aun pedir lo que les queda.
Lo que somos obligados
es servir cuanto podemos,
y también que trabajemos   940
en que seamos pagados.
De otra suerte
nuestra vida es nuestra muerte.

ELISO: Hermano, bien te he entendido;
por lo cual, a tu mandado   945
me ternás continuamente,
y aun que tengo por perdido
todo el tiempo que he dejado
de te ser muy obediente.
Y pues ya tan claras son   950
mi mentira y tu verdad,
confieso mi necedad
y alabo tu discreción,
y, de hoy más,
yo haré lo que verás.   955

BOREAS: Mucho huelgo, hermano Eliso,
pues que repruebas el mal
como de buenos se espera.
Vivamos sobre el aviso,
que sin duda el hospital   960
a la vejez nos espera.

935 *d'ambas*, 'ambas'.
954 *de hoy más*, 'desde hoy'.

	Por lo cual te cumple, hermano	
	que, sin vergüenza ni miedo,	
	cuando te dieren el dedo	
	que abarques toda la mano.	965
	Haz, si puedes,	
	que puedas hacer mercedes.	
ELISO:	Hermano, deja hacer,	
	que no quiero más laceria	
	de la que tengo pasada.	970
	Y aun, si rescibes placer,	
	dejemos esta materia	
	porque está bien disputada.	
	Buen tiempo se nos ofresce	
	y es cosa justa y honesta.	975
	Hablemos a tu Doresta,	
	que a la ventana paresce.	
BOREAS:	Ya la veo,	
	y es cumplido mi deseo.	
ELISO:	Pues anda, vele a hablar.	980
	Yo quedaré d'esta parte	
	y escucharé desde aquí,	
	que me conviene notar	
	cómo sabes requebrarte	
	para que aprenda de ti.	985
BOREAS:	No te burles, aunque callo,	
	ni me tengas por grosero,	
	que en manos está el pandero	
	de quien bien sará sonallo.	
ELISO:	Ve callando,	990
	que ya nos está mirando.	
BOREAS:	Doresta, señora mía,	
	guarde Dios vuestra beldad	
	y vuestra gentil manera.	
DORESTA:	Si no por la compañía,	995
	yo os hablara de verdad	
	de modo que no os pluguiera.	
BOREAS:	¿Por qué, señora Doresta?	
DORESTA:	Porque no me motejéis;	
	que si otra vez lo hacéis,	1000
	no's placerá la respuesta.	

997   *pluguiera*, 'agradara'.

	Que aunque fea,	
	no tengo invidia a Febea.	
BOREAS:	Señora, no's deis fatiga	
	por yo decir una cosa	1005
	que dirá cualquier que os viere.	
DORESTA:	Boreas, ¿quéreis que os diga?	
	Cual me veis, fea o hermosa,	
	tal no falta quien me quiere.	
BOREAS:	Pluguiera, señora, a Dios,	1010
	en aquel punto que os vi,	
	que quisiera tanto a mí	
	como luego quise a vos.	
DORESTA:	¡Bueno es eso!	
	A otro can con ese hueso.	1015
BOREAS:	Ensayad vos de mandarme	
	cuanto yo podré hacer,	
	pues os deseo servir,	
	siquiera porque en probarme	
	conozcáis si mi querer	1020
	concierta con mi decir.	
DORESTA:	Si mis ganas fuesen ciertas	
	de quereros yo mandar,	
	quizá de vuestro hablar	
	saldrían menos ofertas.	1025
BOREAS:	Si miráis,	
	señora, mal me tractáis.	
DORESTA:	¿Cómo puedo mal trataros	
	con palabras tan honestas	
	y por tan corteses mañas?	1030
BOREAS:	¿Cómo ya no oso hablaros?	
	Que tenéis ciertas respuestas	
	que lastiman las entrañas.	
DORESTA:	Por mi fe, tengo mancilla	
	de veros ansí mortal.	1035
	¿Moriréis de aquese mal?	
BOREAS:	No sería maravilla.	
DORESTA:	Pues, galán,	
	ya las toman do las dan.	
BOREAS:	Por mi fe que holgaría	1040

1010 *Pluguiera a Dios.* 'Dios quiera'.
1027 *tractáis,* 'tratáis'.

	si como otros mis iguales	
	pudiese dar y tomar;	
	mas veo, señora mía,	
	que rescibo dos mil males	
	y ninguno puedo dar.	1045
DORESTA:	¿Qué sabéis vos si los dais,	
	aunque no se da a entender?	
	¿Cómo vos soléis hacer,	
	que sin dolor os quejáis?	
BOREAS:	Plega a Dios	1050
	que mi pena pene a vos.	
DORESTA:	Vos andáis tras que publique	
	lo que está mejor secreto	
	para mi fama y la vuestra;	
	pues, sin que más os suplique,	1055
	no queráis, pues sois discreto,	
	que haga tan loca muestra.	
BOREAS:	No os quiero más deservir,	
	pues algo pienso entenderos;	
	y terné que agradesceros,	1060
	si me mandardes venir	
	hora cierta,	
	que no me neguéis la puerta.	
DORESTA:	Tal cosa no me mandéis,	
	que modo ninguno veo	1065
	de poder hacerlo ansí.	
BOREAS:	Esta noche, si queréis,	
	cuando abriréis a Himeneo,	
	me podéis abrir a mí.	
DORESTA:	Mejor vivan ella y él.	1070
	Por eso perded cuidado,	
	que mi ama ha concertado	
	que ninguno entre con él.	
BOREAS:	Pues haced	
	que me cumpláis la merced.	1075
ELISO:	¿Ha de ser para mañana?	
	Vámonos, que eres prolijo.	
BOREAS:	¿Consentís, señora, vos?	

1050 *Plega a Dios*, 'Dios quiera'.
1058 *deservir*, 'faltar a la obligación que se tiene de obedecer a uno y servirle'.
1061 *mandardes*, 'mandareis'.

DORESTA:	Señor, sí, de buena gana,	
	pues que aquel señor lo dijo.	1080
	Id con la gracia de Dios.	
BOREAS:	Y en la vuestra quede yo	
	para mi consolación.	
DORESTA:	Estad de buen corazón,	
	que Dios por todos murió.	1085
BOREAS:	Pues, señora,	
	vos quedad mucho en buen hora.	
ELISO:	Boreas, nunca creyera	
	que tanto bien alcanzabas	
	en este penado oficio,	1090
	si por mis ojos no viera,	
	cuando a Doresta hablabas,	
	cuánto queda a tu servicio.	
BOREAS:	Vámonos, no nos tardemos,	
	que nuestro amo está esperando.	1095
ELISO:	Bien podemos ir hablando,	
	que harto tiempo tenemos.	
BOREAS:	Pues, si escuchas,	
	te diré otras cosas muchas.	
TURPEDIO:	Beso las manos, señora	1100
	de mis secretos, por tanto	
	la muy hermosa Doresta.	
DORESTA:	Señor, vengáis en buen hora.	
	¿Para qué de chico santo	
	queréis hacer tanta fiesta?	1105
TURPEDIO:	Sois ansí gran sancto vos,	
	y en vos tal gracia hallaron	
	que, de cuantos os miraron,	
	los más os tienen por Dios.	
	Y no digo	1110
	lo que sois para comigo.	
DORESTA:	¡Oh, qué gracioso venís!	
	Nuestro Señor os bendiga.	
	¿Sabéis más que me decir?	
TURPEDIO:	Si a mí, señora, decís,	1115
	sé que me sois enemiga	
	porque os deseo servir.	
DORESTA:	¿Mal lo hago todavía?	
TURPEDIO:	No podéis peor hacello.	

DORESTA:	Pues d'hoy más, si pienso en ello,	1120
	lo haré sin cortesía.	
TURPEDIO:	¿Qué haréis?	
DORESTA:	Rogaros que me dejéis.	
TURPEDIO:	Algún enamoradillo	
	sé que esperáis vos agora.	1125
DORESTA:	Más hombre que vos en todo.	
TURPEDIO:	Cierto, no me maravillo,	
	porque sois merescedora	
	del mayor que pisa lodo.	
DORESTA:	¿No seríades mochacho?	1130
TURPEDIO:	Y aun hombre os paresceré.	
DORESTA:	Dejadme, por vuestra fe,	
	que no quiero vuestro empacho.	
TURPEDIO:	Ni queráis,	
	ni de Dios salud hayáis.	1135
DORESTA:	Ora, por vida de Dios,	
	que yo lo diga al Marqués,	
	y quizá por vuestro daño.	
TURPEDIO:	Pues si tal sale de vos,	
	yo os daré tanto mal mes	1140
	que nunca os falte mal año.	
DORESTA:	¡Veis qué rapaz sin mesura,	
	cómo tiene presunción!	
TURPEDIO:	Pues voto al fuerte Sansón	
	de daros mala ventura,	1145
	que aquí está	
	quien de vos me pagará.	
DORESTA:	Pues no te tomes comigo,	
	que no me espantan tus motes,	
	por mucho que me amenaces;	1150
	que si a tu amo lo digo	
	te hará dar mil azotes,	
	que es castigo de rapaces.	
TURPEDIO:	Pues si alcanzarte pudiera,	
	por eso que agora dices	1155
	te cortara las narices,	
	¡doña puerca escopetera!	

1120 *d'hoy más*, 'desde hoy'.
1157 *escopetera*, 'prostituta de cuartel'.

| DORESTA: | ¡Para vos! |
| TURPEDIO: | ¡Oh, reñego no de Dios! |

JORNADA CUARTA

(HIMENEO, BOREAS, ELISO, TURPEDIO y MARQUÉS)

HIMENEO:	Pues agora, mis hermanos,	1160
	tú, Boreas, y tú, Eliso,	
	lo hablado se os refiere.	
	Yo me pongo en vuestras manos.	
	Ved que estéis sobre el aviso	
	mientra yo dentro estoviere.	1165
BOREAS:	Señor, ansí lo haremos.	
	Entra tú con mano diestra,	
	que por tu fama y la nuestra,	
	si conviene, moriremos.	
HIMENEO:	Yo lo creo.	1170
ELISO:	Tal es, señor, el deseo.	
HIMENEO:	¿Será tiempo de llamar?	
ELISO:	Es temprano cuantoquiera.	
	Dejemos dormir la gente.	
BOREAS:	Mas, señor, en tal lugar	1175
	quien tras tiempo tiempo espera,	
	tiempo vien que se arrepiente.	
HIMENEO:	Pues luego dad acá, vamos,	
	llegad comigo y veremos.	
BOREAS:	¿Quieres, señor, que gastemos	1180
	lo que nos no concertamos?	
	Que Febea	
	sólo a ti, señor, desea.	
HIMENEO:	Pues solo voy.	
ELISO:	Ve con Dios.	
BOREAS:	Mas vaya con el dïablo.	1185
ELISO:	No, que se va santiguando.	
BOREAS:	Calla, tú, ¡cuerpo de Dios!	
	Cuanto yo concierto y hablo,	
	tanto tú me vas gastando.	
ELISO:	No hago, par Dios, hermano.	1190

1159 *reñego,* 'reniego'.
1177 *vien,* 'viene'.

BOREAS:	Pues, cuando llamar quería,	
	¿por qué, de gran grosería,	
	dijiste que era temprano?	
	Qu'es locura	
	esperar mala ventura.	1195
	Porque en aquestos conciertos,	
	si fuésemos afrentados	
	demorando aquí con él,	
	esperando somos muertos,	
	y huyendo, deshonrados.	1200
	Y no sé qué fuera d'él.	
	Mas solos d'esta manera,	
	si quisiéremos huir,	
	podemos después decir	
	una mentira cualquiera.	1205
	Mi consejo	
	será guardar el pellejo.	
ELISO:	Dejemos esta cuestión,	
	y mira que ya es entrado.	
BOREAS:	Pues ¿qué tienes en la mente?	1210
ELISO:	Que me hables sin pasión.	
	Y dejando lo pasado	
	hablemos en lo presente.	
BOREAS:	Tengo tan poco sentido	
	y estoy tan fuera de mí,	1215
	que, por no me ver aquí,	
	no quisiera ser nascido.	
ELISO:	Calla, hermano,	
	que te quejas muy temprano.	
BOREAS:	¡Oh, que haga mal vïaje	1220
	quien en tan fuerte jornada	
	y en tal congoja me mete.	
	Pues hombre de mi linaje	
	nunca supo qué era espada,	
	ni broquel, ni cosalete.	1225
	Yo también soy más que loco	
	por venir en tal lugar,	
	pues que no quiero matar,	
	ni que me maten tampoco.	
ELISO:	Cuerdo eres.	1230

1225   *cosalete*, 'coselete, coraza ligera'.

	Hagamos lo que quieres.	
BOREAS:	Que no esperemos batalla,	
	sino que luego nos vamos	
	por no ser muertos aquí.	
ELISO:	Pues ¿si sale y no nos halla?	1235
BOREAS:	No faltará que digamos	
	si dejas hablar a mí.	
ELISO:	Pues para todo hay remedio,	
	sin porqué no nos andemos.	
	Cuando nada sentiremos,	1240
	meteremos tierra en medio.	
BOREAS:	¡Qué placer!	
	¿Y quien no puede correr?	
ELISO:	¿Cómo no?	
BOREAS:	Porque no puedo,	
	que son las armas pesadas	1245
	y dejallas no osaré.	
	También porque con el miedo	
	tengo las piernas cortadas,	
	que moverme no podré.	
ELISO:	Pues deja, hermano Boreas,	1250
	las armas con que te hallas,	
	porque quizá por salvallas	
	perderás cuero y correas,	
	y verás	
	cuán sin pena correrás.	1255
BOREAS:	Pues si las armas perdiese,	
	nuestro amo ¿qué me diría	
	de cobarde y de judío?	
	Que si excusa no tuviese	
	para dar, como cumplía,	1260
	yo me echaré en aquel río.	
ELISO:	Pues si no puedes con ellas,	
	dámelas para que huyas,	
	que las mías y las tuyas	
	yo daré mal cabo d'ellas.	1265
BOREAS:	¿Y la capa?	
	¿Qué dirán si se me escapa?	
ELISO:	Para la capa ternás	
	dos mil excusas sobradas	

1233 *vamos*, 'vayamos'.

	para no poder salvalla;	1270
	que, si quisieres, dirás	
	que, jugando a cuchilladas,	
	te fue forzado dejalla.	
	Porque los hombres de guerra,	
	para poderse valer,	1275
	primero de acometer	
	dejan la capa por tierra.	
BOREAS:	Pues espera,	
	¿tendréla d'esta manera?	
TURPEDIO:	¿Quién anda ahí?	
MARQUÉS:	¡Mueran, mueran!	1280
	¿Por dó van?	
TURPEDIO:	Allá han traspuesto.	
	Mas la capa irá comigo.	
MARQUÉS:	Pese a tal, si no huyeran,	
	que por ventura de presto	
	llevaran un buen castigo.	1285
TURPEDIO:	Mas, señor, ¿sabes que creo	
	que sabrás lo que deseas?	
	Que esta capa es de Boreas,	
	un criado de Himeneo.	
MARQUÉS:	Di que fue.	1290
TURPEDIO:	Sí, señor, en buena fe.	
MARQUÉS:	¿Cuántos eran?	
TURPEDIO:	Solos dos.	
	Y por la capa, señor,	
	son sus criados de aquél.	
MARQUÉS:	Pues, ¡voto al cuerpo de Dios!,	1295
	que queda dentro el traidor.	
TURPEDIO:	Si tal es, doblen por él.	
MARQUÉS:	Ven acá, qu'es de pensar	
	de qué manera haremos.	
TURPEDIO:	Señor, que luego llamemos,	1300
	pues que nos conviene entrar.	
MARQUÉS:	Ciertamente	
	se nos irá si nos siente.	
TURPEDIO:	Pues ¿quieres cosa más cierta	
	por quitar este recelo	1305
	y acertar esta jornada?	
	Da tú una coz a la puerta	
	que des con ella en el suelo;	

	jugaremos d'antuviada.	
	Ningún temor se reciba	1310
	si entramos apercibidos,	
	que aun no seremos sentidos	
	cuando seremos arriba.	
MARQUÉS:	Sus, pues, vamos,	
	que ya sobrado tardamos.	1315
	Dame esa capa tú a mí.	
TURPEDIO:	Toma la rodela, aosadas.	
MARQUÉS:	Dala acá, que bien te entiendo.	
TURPEDIO:	Pues si quieres, sea ansí.	
	Y arrancadas las espadas,	1320
	vamos diciendo y haciendo.	
MARQUÉS:	Pues si viniere en tus manos	
	y lo pudieres coger,	
	haz que no haya menester	
	médicos ni cirujanos.	1325
TURPEDIO:	Entra presto.	
	Déjame a mí hacer el resto.	

JORNADA QUINTA

(MARQUÉS, FEBEA, TURPEDIO, DORESTA, HIMENEO, BOREAS y
ELISO.)

MARQUÉS:	¡Oh, mala mujer, traidora!	
	¿Dónde vais?	
TURPEDIO:	Paso, señor.	
FEBEA:	¡Ay de mí, desventurada!	1330
MARQUÉS:	Pues ¿qué os paresce, señora?	
	¿Para tan gran deshonor	
	habéis sido tan guardada?	
	Confesaos con este paje,	
	que conviene que muráis,	1335
	pues con la vida ensuciáis	
	un tan antiguo linaje.	
	Quiero daros,	
	que os do la vida en mataros.	

1309 *antuviada,* 'golpe o porrazo dado de improviso'.
1317 *aosadas,* 'ciertamente, de verdad'.
1339 *do.* 'doy'.

FEBEA:	Vos me sois señor y hermano.
	Maldigo mi mala suerte
	y el día en que fui nascida.
	Yo me pongo en vuestra mano,
	y antes os pido la muerte
	que no que me deis la vida.
	Quiero morir, pues que veo
	que nascí tan sin ventura.
	Gozará la sepoltura
	lo que no pudo Himeneo.
MARQUÉS:	¿Fue herido?
TURPEDIO:	No, que los pies le han valido.
FEBEA:	Señor, después de rogaros
	que en la muerte que me dais
	no os mostréis todo cruel,
	quiero también suplicaros
	que, pues a mí me matáis,
	que dejéis vivir a él.
	Porque, según le atribuyo,
	si sé que muere d'esta arte,
	dejaré mi mal aparte
	por mejor llorar el suyo.
MARQUÉS:	Toca a vos
	poner vuestra alma con Dios.
FEBEA:	No me queráis congojar
	con pasión sobre pasión
	en mis razones finales.
	Dejadme, señor, llorar,
	que descansa el corazón
	cuando revesa sus males.
MARQUÉS:	Pues contadme en qué manera
	pasa todo vuestro afán.
FEBEA:	Pláceme, porque sabrán
	cómo muero, sin que muera,
	por amores
	de todo merescedores.
	¡Doresta!
DORESTA:	Ya voy, señora.
FEBEA:	Ven acá, serás testigo
	de mi bien y de mi mal.

Los números de verso son: 1340, 1345, 1350, 1355, 1360, 1365, 1370, 1375.

1369 *revesa*, 'vomita, echa fuera lo que tiene dentro, confiesa, cuenta un secreto'.

TURPEDIO:	Señor, es una traidora.
DORESTA:	Tú, de bondad enemigo.
MARQUÉS:	Callad, hablemos en ál.
FEBEA:	Hablemos cómo mi suerte

1380

me ha traído en este punto
do yo y mi bien todo junto
moriremos d'una muerte.

1385

Mas primero
quiero contar cómo muero.
Yo muero por un amor
que, por su mucho querer,
fue mi querido y amado,

1390

gentil y noble señor,
tal que por su merescer
es mi mal bien empleado.
No me queda otro pesar
de la triste vida mía,

1395

sino que, cuando podía,
nunca fui para gozar
ni gocé
lo que tanto deseé.
Muero con este deseo

1400

y el corazón me revienta
con el dolor amoroso;
mas si creyera a Himeneo,
no moriera descontenta
ni le dejara quejoso.

1405

Bien haya quien me maldice,
pues lo que él más me rogaba
yo más qu'él lo deseaba.
No sé por qué no lo hice,
¡guay de mí!,

1410

que muero ansí como ansí.

MARQUÉS:	¿Sobre todos mis enojos
	me queréis hacer creer
	que nunca tal habéis hecho?

1415

Que he visto yo por mis ojos
lo que no quisiera ver
por vuestra fama y provecho.

FEBEA:	Haced, hermano, con Dios,

1381 *en ál*, 'de otra cosa'.

que yo no paso la raya,
pues mi padre, que Dios haya,   1420
me dejó subjeta a vos
y podéis
cuanto en mí hacer queréis.
Pero, pues d'esta manera
y ansí de rota abatida   1425
tan sin duelo me matáis,
por amor de Dios siquiera,
dadme un momento de vida,
pues toda me la quitáis.
Y no dejéis de escucharme   1430
ni me matéis sin me oir,
que menos quiero vivir
aún que no queráis matarme;
qu'es locura
querer vivir sin ventura.   1435
No me quejo de que muero,
pues soy mortal como creo,
mas de la muerte traidora;
que si viniera primero
que conosciera a Himeneo,   1440
viniera mucho en buen hora.
Mas veniendo d'esta suerte,
tan sin razón, a mi ver,
¿cuál será el hombre o mujer
que no le doldrá mi muerte,   1445
contemplando
por qué y dónde, cómo y cuándo?
Yo nunca hice traición.
Si maté, yo no sé a quién.
Si robé, no lo he sabido.   1450
Mi querer fue con razón
y, si quise, hice bien
en querer a mi marido.
Cuanto más que las doncellas,
mientra que tiempo tuvieren,   1455
harán mal si no murieren

1421 *subjeta*, 'sujeta, sometida'.
1425 *de rota abatida*, 'con total pérdida o destrucción'.
1445 *doldrá*, 'dolerá'.
1455 *mientra*, 'mientras'.

por los que mueren por ellas,
pues, moriendo,
dejan sus famas viviendo.
Pus, Muerte, ven cuandoquiera,　　　　　1460
que yo te quiero atender
con rostro alegre y jocundo;
qu'el morir d'esta manera
a mí me debe placer
y pesar a todo el mundo.　　　　　　　1465
Sientan las gentes mi mal
por mayor mal de los males,
y todos los animales
hagan hoy nueva señal
y las aves　　　　　　　　　　　　　　1470
pierdan sus cantos suaves.
La tierra haga temblor,
los mares corran fortuna,
los cielos no resplandezcan
y pierda el sol su claror,　　　　　　　1475
tórnese negra la luna,
las estrellas no parezcan,
las piedras se pongan luto,
cesen los ríos corrientes,
séquense todas las fuentes,　　　　　　1480
no den los árbores fruto,
de tal suerte
que todos sientan mi muerte.

MARQUÉS:　Señora hermana, callad,
que la siento en gran manera　　　　　1485
por vuestra suerte maldita,
y en moverme a pïedad
me haréis, aunque no quiera,
causaros muerte infinita.
Tened alguna cordura,　　　　　　　　1490
qu'es vuestro mal peligroso,
y el cirujano pïadoso
nunca hizo buena cura.
No queráis
que sin mataros muráis.　　　　　　　1495

1460　*pus*, 'pues'; *cuandoquiera*, 'en cualquier momento'.
1462　*jocundo*, 'plácido, agradable'.
1481　*árbores*, 'árboles'.

Y si teméis el morir,
acordaos que en el nascer
a todos se nos concede.
Yo también oí decir
qu'es gran locura temer   1500
lo que excusar no se puede;
y esta vida con dolor
no sé por qué la queréis,
pues, moriendo, viviréis
en otra vida mejor,   1505
donde están
los que no sienten afán.
Y en este mar de miseria,
el viejo y el desbarbado
todos afanan a una: 1510
los pobres con la laceria,
los ricos con el cuidado,
los otros con la fortuna.
No temáis esta jornada.
Dejad este mundo ruin   1515
por conseguir aquel fin
para que fuistes criada.
Mas empero,
confesaos aquí primero.

FEBEA: Confieso que en ser yo buena   1520
mayor pecado no veo
que hice desque nascí,
y merezco toda pena
por dar pasión a Himeneo
y en tomalla para mí.   1525
Confieso que peca y yerra
la que suele procurar
que no gocen ni gozar
lo que ha de comer la tierra,
y ante vos   1530
yo digo mi culpa a Dios.

MARQUÉS: No es ésa la confisión
que vuestra alma ha menester.
Confesaos por otra vía.

1517 *fuistes*, 'fuiste'.
1522 *desque*, 'desde que'.
1532 *confisión*, 'confesión'.

106

FEBEA:	Pues a Dios pido perdón,	1535
	si no fue tal mi querer	
	como el de quien me quería.	
	Que si fuera verdadero	
	mi querer como debiera,	
	por lo que d'él suscediera	1540
	no muriera como muero.	
MARQUÉS:	Pues, señora,	
	ya me paresce qu'es hora.	
HIMENEO:	¡Caballero, no os mováis!	
MARQUÉS:	¿Cómo no? ¡Mozo!	
TURPEDIO:	Señor.	1545
MARQUÉS:	Llega presto.	
TURPEDIO:	Vesme aquí.	
HIMENEO:	No bravéis si mandáis.	
	Callad y haréis mejor,	
	si queréis creer a mí.	
MARQUÉS:	Pues ¿quién sois vos, gentil hombre?	1550
HIMENEO:	Soy aquel que más desea	
	la honra y bien de Febea,	
	y es Himeneo mi nombre,	
	y ha de ser,	
	pues que fue y es mi mujer.	1555
MARQUÉS:	Catad, pues sois caballero,	
	no queráis forzosamente	
	tomaros tal presunción.	
HIMENEO:	No quiera Dios, ni yo quiero,	
	sino muy humanamente	1560
	lo que me da la razón.	
	Y porque con la verdad	
	se conforme mi querella,	
	hagamos luego con ella	
	que diga su voluntad,	1565
	y con todo	
	hágase de aqueste modo:	
	que si Febea dijere	
	que me quiere por marido,	
	pues lo soy, testigo Dios,	1570
	que pues la razón lo quiere,	
	no perdiendo en el partido,	
	lo tengáis por bueno vos.	
	Pues sabéis bien que en linaje	

	y en cualquier cosa que sea,	1575
	la condición de Febea	
	me tiene poca ventaje.	
	Y esto digo	
	porque vos sois buen testigo.	
MARQUÉS:	Bien veo que sois iguales	1580
	para poderos casar,	
	y lo saben dondequiera;	
	pero digo que los tales	
	lo debrían negociar	
	por otra mejor manera.	1585
HIMENEO:	Ya sé yo poner tercero	
	donde fuere menester,	
	pero si tomo mujer,	
	para mí solo la quiero.	
	Pues ansí	1590
	quise engañarme por mí.	
MARQUÉS:	Señora, vos, ¿qué hacéis,	
	que no decís ni habláis	
	lo que pasa entr'él y vos?	
FEBEA:	Yo digo que, pues que veis	1595
	cuán mal camino lleváis,	
	que podéis iros con Dios.	
MARQUÉS:	¿Por qué?	
FEBEA:	Porque paréis mientes	
	que me quesistes matar	
	porque me supe casar	1600
	sin ayuda de parientes,	
	y muy bien.	
MARQUÉS:	Pues, gracias a Dios.	
FEBEA:	Amén.	
HIMENEO:	Yo, señora, pues, ordeno	
	que se quede lo pasado,	1605
	si bien mataros quisiera;	
	y él hacía como bueno	
	y le fuera mal contado	
	si d'otro modo hiciera.	
MARQUÉS:	No haya más, pues qu'es ya hecho.	1610

1577   *ventaje*, 'ventaja'.
1584   *debrían*, 'deberían'.
1599   *quesistes*, 'quisisteis'.

	Plega al divino Mesías	
	que le gocéis muchos días	
	y que os haga buen provecho,	
	pues casastes	
	mejor de lo que pensastes.	1615
HIMENEO:	Yo digo, pues que ansí es,	
	que vos nos toméis las manos	
	por quitar estas sozobras;	
	y, si quisierdes, después	
	seamos buenos hermanos	1620
	y hagámosnos las obras.	
MARQUÉS:	¿Queréis vos?	
FEBEA:	Soy muy contenta.	
MARQUÉS:	Dad acá.	
ELISO:	Gracias a Dios.	
BOREAS:	Sí, pues que hace por nos	
	en sacarnos d'esta afrenta.	1625
MARQUÉS:	Pues veamos	
	qué será bien que hagamos.	
HIMENEO:	Si vuestra merced mandare,	
	vámonos a mi posada.	
	Sentirá mis ganas todas	1630
	y, según allí ordenare,	
	nombraremos la jornada	
	para el día de las bodas.	
ELISO:	Pues antes que aqueso sea,	
	Boreas y yo, señores,	1635
	nos damos por servidores	
	a la señora Febea.	
FEBEA:	Por hermanos.	
BOREAS:	Besamos sus pies y manos.	
ELISO:	También al señor Marqués	1640
	ofrescemos el deseo,	
	con perdón de lo pasado.	
TURPEDIO:	Yo también, pues que ansí es,	
	me do al señor Himeneo	
	por servidor y criado.	1645
FEBEA:	Mas porque nuestros afanes	

1611 ¡quiera el divino Mesías'.
1618 *sozobras*, 'zozobras'.
1619 *quisierdes*, 'quisiereis'.
1644 *do*, 'doy'.

	nos causen complida fiesta,	
	casemos a mi Doresta	
	con uno d'estos galanes.	
MARQUÉS:	¿Y con quién?	1650
FEBEA:	Con el más hombre de bien.	
HIMENEO:	Cada cual lo piensa ser.	
FEBEA:	Por cierto, todos lo son.	
MARQUÉS:	Pues, señora, ¿qué remedio?	
FEBEA:	Que le demos a escoger,	1655
	porque ella tiene afición	
	a Boreas o a Turpedio.	
TURPEDIO:	Yo, señores, no la quiero.	
DORESTA:	¡Malos años para vos!	
TURPEDIO:	Pues ¡voto al cuerpo de Dios!...	1660
MARQUÉS:	Calla, rapaz majadero.	
FEBEA:	No haya más.	
	Toma tú cual más querrás.	
HIMENEO:	Yo tomo el cargo, señora,	
	de casaros a Doresta,	1665
	si se confía de mí.	
	Dejémoslo por agora.	
	Vámosnos, qu'es cosa honesta.	
	No nos tome el sol aquí.	
MARQUÉS:	Pues adiós.	
HIMENEO:	No quiero, nada.	1670
MARQUÉS:	Sí, señor.	
HIMENEO:	¡Par Dios! No vais.	
MARQUÉS:	¿Por qué no?	
HIMENEO:	Porque vengáis	
	a conocer mi posada.	
	Holgaremos,	
	que cantando nos iremos.	1675
MARQUÉS:	Pláceme por vuestro amor,	
	si mi hermana, vuestra esposa,	
	nos hiciere compañía.	
FEBEA:	Soy contenta.	
HIMENEO:	Pues, señor,	
	cantemos alguna cosa	
	solamente por la vía.	1680
MARQUÉS:	¿Qué diremos?	

1681   *vía*, 'camino'.

110

HIMENEO: De la gloria
                que siente mi corazón
                desque venció su pasión.
MARQUÉS: Decid: victoria, victoria,   1685
                vencedores,
                cantad victoria en amores.

                              Villancico
                    Victoria, victoria,
                los mis vencedores,
                victoria en amores.   1690
                    Victoria, mis ojos,
                cantad si llorastes,
                pues os escapastes
                de tantos enojos;
                de ricos despojos   1695
                    seréis gozadores.
                Victoria en amores.
                Victoria, victoria.

                         FINIS

1684   *desque*. 'desde que'.

La liberación del amor cortesano
Tragicomedia de don Duardos

por Gil Vicente

Introducción

Gil Vicente y «Don Duardos»

El portugués Gil Vicente es, como Torres Naharro, otro
autor dramático cuya historia queda semioculta entre los versos de sus propias obras y las ambigüedades de los pocos datos seguros que sobre él conservamos. Ni el año de su nacimiento (entre 1452 y 1470) ni el lugar en que vio la luz nos
son conocidos. La fecha más citada como probable es la de
1465, y el lugar, la región de la Beira, pero ambas afirmacio-
nes suelen hacerse a partir de ciertas alusiones contenidas en
los textos de sus obras. El método, además de ser arriesgado
desde el punto de vista de la historia literaria, produce, en el
caso de Vicente, resultados contradictorios.

La crítica ha discutido con frecuencia el problema de la eru-
dición de Gil Vicente. Carolina Michaëlis de Vasconcelos [1]
vio en él a un latinista limitado, conocedor de elementos de la
gramática latina y capaz de traducir textos sencillos, y a un
lector de obras romances que adquirió ciertos conocimientos
de la civilización romana. Pero nada más. Joaquim de
Carvalho [2] pretendió demostrar la cultura patrística de Vicente y su paso por las aulas universitarias (Salamanca, la Sorbo-
na, etc.). Révah [3] volvió a la tesis de Michaëlis de Vasconcelos y defendió la idea de que Vicente conoció las obras de los
padres de la Iglesia no directamente, sino a través de los libros de devoción portugueses y españoles. Su formación teo-
lógica sería, así, muy superficial.

---

[1] *Notas vicentinas*, pág. 220.
[2] Joaquim de Carvalho, «Os sermões de Gil Vicente» (en *Estudos sobre
a cultura portuguesa do século XVI*, Coimbra, 1947-48, t. II, págs. 205-339).
[3] *Les sermons de Gil Vicente: en marge d'un opuscule du professeur Joaquim de Carvalho*. Lisboa, 1949.

El tercer objeto de discordia entre los estudiosos ha sido averiguar si Gil Vicente fue, además de dramaturgo, orfebre. Se le ha atribuido la custodia de Belem, hecha con oro que Vasco de Gama llevó a Portugal al volver de su segundo viaje a la India. Saraiva [4] negó la posibilidad de que el autor dramático Gil Vicente y el orfebre Gil Vicente fueran la misma persona. Braamcamp Freire [5] abrió, sin embargo, una pregunta que no tiene respuesta fácil: ¿Cómo es posible que hubiese en el mismo lugar —la corte portuguesa—, durante los mismos años, dos Gil Vicente, que murieron al mismo tiempo y sobre los que no hay ninguna palabra que los diferencia? Jack Parker [6] parece inclinarse a favor de la tesis de Braamcamp Freire. Digamos con Luciana Stegagno Picchio [7] y Stephen Reckert [8] que, a pesar de los esfuerzos loables de los críticos, lo único que sabemos de Gil Vicente sale de la lectura de su obra literaria. Y me atrevería a añadir que tampoco conocemos ésta con mucha precisión, ya que los textos que conservamos nos han llegado en forma sólo relativamente fidedigna. Luego volveremos sobre el tema.

Nuestro autor debió de morir a fines de 1536 o principios de 1537. De un documento de 1540, en que se alude al Belchior Vicente, hijo del dramaturgo, se puede deducir que ya había muerto en esa fecha.

Sabemos pocos detalles de la vida del escritor en las cortes de Manuel I y de João III. De 1502 a 1536 fue músico, actor, dramaturgo y poeta lírico cortesano. Bodas, nacimientos y fiestas reales fueron otras tantas ocasiones para que Vicente hiciera valer sus extraordinarias dotes de escritor. Muchas de sus obras no tienen la forma adecuada a las piezas teatrales autónomas. La razón es que fueron escritas para representarse en el marco de una festividad cortesana y no eran más que elementos constitutivos del conjunto más amplio que formaba la celebración palaciega. El teatro vicentino debe entenderse teniendo en cuenta el público cautivo, cortesano, a que fue dirigido. Lo cual no supone que Vicente tuviera que traicionar su propia conciencia al exponer ciertos problemas controvertidos. Sí condicionó, en cambio, el tipo de temas abordados y el modo de hacerlo.

Casado dos veces, tuvo varios hijos, uno de los cuales, Luis, ha pasado a la historia por haber sido quien coleccionó

[4] *História da cultura...*, t. II, pág. 234, nota 1.
[5] *Vida e obras de Gil Vicente...*, pág. 28.
[6] *Gil Vicente*, pág. 19.
[7] *História do teatro português*, pág. 41.
[8] *Gil Vicente*, pág. 18.

y publicó las obras de su padre en la famosa *Copilaçam*, impresa en Lisboa en 1562.

De las cuarenta y ocho obras conservadas hay doce escritas en castellano y veinte casi totalmente en portugués. En las restantes los personajes hablan el idioma de su propia nacionalidad. El bilingüismo estructural del teatro vicentino está hablando claramente de la existencia de un teatro del occidente peninsular, con ataduras relativas a las fronteras nacionales, y condicionado, fundamentalmente, por un rasgo común: la calidad cortesana del escritor, su dependencia de la clase dominante en palacio —reyes y nobles— y la alianza mutua entre intelectuales y aristócratas en aquella Europa renacentista.

Paul Teyssier [9] ha ordenado las normas de la práctica vicentina en lo que a la elección de la lengua dramática se refiere. Señala tres principios. El primero es la tradición literaria. Si Vicente sigue un texto anterior tiende a utilizar la lengua del modelo. Es el caso de las obras inspiradas en Encina y Fernández, o de las que proceden de los libros de caballerías españoles *(Don Duardos* o *Amadís de Gaula)*. Teyssier identifica en segundo lugar el principio de la verosimilitud. Los personajes tienden a reflejar fielmente en su lenguaje su propia pertenencia nacional. Un castellano hablará en castellano, aunque el resto de la pieza, de ambiente lusitano, se desarrolle en portugués. En tercer lugar, Vicente funciona con arreglo al principio de jerarquía de las dos lenguas. El castellano tenía una literatura más desarrollada que el portugués y es natural que a Vicente le pareciera aquél más conveniente que éste para la presentación de ciertos problemas. Hart ha relativizado los principios de Teyssier, indicando que se puede «alegar más de una razón para justificar su elección [la de Vicente] del español o del portugués» [10].

Las obras de Gil Vicente aparecieron impresas en Lisboa en 1562 con el título de *Copilaçam*. Luis Vicente fue quien organizó los materiales y doña Catarina, la viuda de João III, quien protegió el nuevo libro. Gracias a la influencia real esta primera edición escapó de los rigores inquisitoriales. Révah [11] ha estudiado el *Índice* de libros prohibidos de 1551 y señala la violenta oposición del Santo Oficio contra algunas obras vicentinas en las que el clero queda criticado y mal parado. Sin la protección real, el volumen no habría salido a la luz. Y de

[9] *La langue de Gil Vicente*, págs. 298-301.
[10] Gil Vicente, *Obras dramáticas...*, edic. Hart, pág. XVII.
[11] I. S. Révah, «La censure inquisitoriale et les oeuvres de Gil Vicente» (*Bulletin d'Histoire du Théâtre Portugais*, I, 1950, págs. 117-119).

hecho, la segunda edición, de 1586, apareció ferozmente mutilada y «corregida».

La *Copilaçam* de 1562 ordena la producción vicentina en cuatro grupos de obras: de devoción, comedias, tragicomedias y farsas. Hart señala la dificultad de toda clasificación del teatro de nuestro autor [12], aunque las dos razones invocadas nos parecen aleatorias. La falta de información sobre su cronología y su valor diverso no excluyen la posibilidad —como él mismo hace siguiendo a Waldron— de llegar a formular una clasificación por materias. Es decir: 1) piezas pastoriles, al estilo de Encina y Fernández; 2) moralidades; 3) farsas; 4) fantasías alegóricas; 5) comedias románticas.

A este quinto grupo pertenecen la *Comedia del viudo,* la *Tragicomedia de Amadís de Gaula* y la *Tragicomedia de don Duardos.* Desde las primeras obras, en que la huella de los balbuceos iniciales del teatro pastoril de Encina y Fernández se hacen patentes en Gil Vicente, hasta estas otras de ambiente caballeresco, el camino recorrido está señalando la superación de las estructuras antiguas, la aparición de un oficio teatral más refinado y la utilización de la escena como lugar de reflexión, y de reflexión elaborada, sobre temas fundamentales de la condición humana, tales como la libertad, el amor o la muerte. Es en ese momento de la evolución vicentina donde se sitúa la *Tragicomedia de don Duardos,* objeto del presente estudio, y una de las piezas capitales de la historia del teatro peninsular.

Don Duardos fue escrita en 1522, según determinó Révah [13], pero no se llegó a representar porque se suspendieron los juegos teatrales cortesanos a raíz de la muerte del rey don Manuel, en 1521. La obra es bastante extensa y es posible que no se destinara a la representación, sino a la lectura. No está dividida en jornadas. Y la falta de precisión del juego de didascalias explícitas o implícitas hace pensar en cómo se representó o cómo fue concebida para una lectura pública. Reckert ha visto con agudeza el contacto inmediato entre representante y auditorio. El principio de la tragicomedia es un momo dentro de un momo. «La Corte de Constantinopla está reunida —la Familia Imperial sentada en el estrado con su séquito, y los cortesanos, como siempre, de pie— cuando entra un misterioso caballero extranjero que se abre paso entre ellos, dirigiéndose al soberano para pronunciar un desafío» [14] El momo que vive la corte incorpora, en calidad de nuevo momo, la llegada del misterioso caballero, don Duardos. Y

[12] Gil Vicente, *Obras dramáticas...,* edic. Hart, pág. XVIII.
[13] I. S. Révah, «La [comédia] dans l'oeuvre...», págs. 10-12.
[14] *Gil Vicente,* pág. 43.

las escenas, no identificadas como tales, se van a suceder contando con la presencia de la corte que, de alguna manera, participa en la representación del juego vicentino. «Aquí no se trata —dice Reckert [15]— de la consabida torpeza de los dramaturgos primitivos para hacer entrar y salir a sus personajes: por lo que la Corte está todavía en su sitio, cuchicheando con aire de expectativa, es porque es un *público;* y lo que ese público está aguardando [y haciendo de puente de unión entre los segmentos de la obra, como público en acción, añadimos nosotros] es el próximo "número" del programa». La última escena de la *Comedia del viudo* es el momento en que los actores acuden a João III para que decida cuál será el desenlace de la obra. El rey y la familia real eran, pues, público y personajes. Y a este final se superpone el principio de *Don Duardos,* en que la familia imperial está también reunida para iniciar la acción dramática. La condición de juego cortesano que las obras tienen resulta evidente.

La tragicomedia presenta la historia de los amores del príncipe don Duardos y de la princesa Flérida, surgidos en el momento en que aquél llega a la corte de Constantinopla a desafiar a Primaleón, el hijo del emperador. Cuando éste manda a Flérida que detenga el combate iniciado por su hermano Primaleón y por don Duardos empieza la historia amorosa. Don Duardos, para merecer y obtener el favor de Flérida, va a entrar al servicio de los labradores que guardan el jardín de la princesa, Julián y Costanza. Quiere don Duardos que Flérida le ame haciendo abstracción de su condición social. Por eso se disfraza de labrador. Y el asedio amoroso de Flérida, con su consiguiente y paulatino enamoramiento, es un camino recorrido con extraordinaria delicadeza y una verdad sicológica difícilmente igualada. Flérida vive un drama doloroso, dividida entre su inclinación hacia la persona del joven labrador y el rechazo que la norma social le impone a semejante voluntad. Negándose a revelar su verdadera identidad, don Duardos señala a Flérida la obligación de destruir las vallas sociales que impiden la realización del amor con sus normas excluyentes. Don Duardos, en tan peligrosa aventura, está jugándose la felicidad. Y si Flérida no se decidiera a dar el salto «anticonvencional», don Duardos vería desaparecer para siempre la posibilidad de hacer realidad una felicidad que sólo Flérida puede prometer y anunciar. El amor, más fuerte que toda consideración social, va a triunfar. Será más fuerte que la presión del código del amor cortesano. Y don Duardos llevará a Flérida en un barco camino de Inglaterra, donde se

[15] Id., pág. 45.

119

realizará la boda que selle socialmente la aventura de los dos amantes.

Junto a la pareja protagonista surgen tres elementos fundamentales. Por una parte, el paisaje. «En la pieza, los personajes y su historia de amor conquistado —dice Ruiz Ramón [16]— están enmarcados por un paisaje que no es un accidente ni un simple adorno lírico en la economía de la tragicomedia, sino un elemento sustantivamente dramático que hace posible situaciones teatrales y movimientos anímicos de los personajes, integrándose en la palabra de éstos. Así, por ejemplo, en los soliloquios de don Duardos. Y no sólo el paisaje, sino hasta el silencio cumplen plenamente su función dramática». El paisaje, la huerta, el resplandor de la luna, son agentes de teatralización y no simples objetos de referencia. Esta es la novedad de Gil Vicente en su *Don Duardos*.

Los otros dos elementos son las parejas Camilote/Maimonda y Julián/Costanza. Dámaso Alonso, en la introducción a su edición de *Don Duardos* [17], considera el episodio de Camilote y Maimonda como una secuencia desproporcionada, por su longitud y por su tónica general. Es difícil decidir qué episodios tendría que haber eliminado o alterado un escritor para mejorar su obra. No hay más remedio que aceptar el texto y analizar todas las implicaciones que sus componentes tienen en la ordenación general de la obra. En este sentido, nos parece que don Duardos, el amador exigente, y Flérida, la amante total, no serían lo que son si, a su lado, no aparecieran Camilote y Maimonda.

Camilote es un caballero salvaje, no cortesano —otras normas sociales y otra moral le gobiernan—, que ama perdidamente a una dama, Maimonda, auténtica encarnación de la fealdad femenina, pero perfectamente sublimada e idealizada por su amador. Camilote no imagina que nadie pueda amar una figura más bella que Maimonda. Y la muchacha, prodigio de fealdad, considera que Camilote tiene que vencer siempre, porque siempre tiene razón. El mundo irracional en que vive la pareja queda relativizado por la percepción que del mismo tienen uno y otra. «Con esta pareja y su extraño amor —dice Ruiz Ramón [18]— me parece que Gil Vicente afirma, por vía dramática, el esencial subjetivismo del amor, capaz de contradecir la realidad misma.» La lectura de este pasaje como caricatura deformante de los protagonistas don Duardos y Flérida no resulta significativa. Al revés. Camilote y Maimonda supo-

[16] Francisco Ruiz Ramón, *Historia del teatro español, I (Desde sus orígenes hasta 1900),* Madrid, Alianza Editorial, 1971, pág. 93.

[17] Madrid, C.S.I.C., 1942, *pássim.*

[18] Ruiz Ramón, *op. cit.,* pág. 94.

nen el complemento necesario para quitar el carácter absoluto de la pasión amorosa de los protagonistas. Cuando sabemos que don Duardos ha matado a Camilote comprendemos la dimensión humana, profunda, total, de su amor. Don Duardos ha eliminado a un caballero que publicaba un modelo de belleza y de entrega. Y con ese gesto ha demostrado que su propia manera de vivir el amor triunfa sobre otras, pero queda relativizada junto a ellas. El amor de Flérida y don Duardos ha salido del mundo de evasión de las novelas caballerescas y se ha hecho drama, lucha encarnada, en manos de Gil Vicente. Camilote y Maimonda son la imagen misma de la subjetivización, de la humanización, del fenómeno amoroso.

El tercer elemento lo constituyen Julián y Costanza, la pareja de labradores que cuidan el jardín o huerta del palacio de Flérida. Ellos acogen a don Duardos y le hacen pasar por hijo suyo. Es otra vía utilizada por Gil Vicente para relativizar lo absoluto de la vivencia cortesana del amar, para liberar el amor cortesano de las trabas del código que le gobierna. Julián y Costanza representan el amor cotidiano, el de los hombres y las mujeres que se ganan la vida con sus manos. El de quienes, en los rigores y las asperezas de la vida campesina, se elevan a la intensidad lírica de las realidades sencillas y hermosas. Costanza y Juan no tienen nada que ver, ni en textura ni en lenguaje, con los burdos pastores de Encina, Fernández o Torres Naharro. En una lengua de calidades y refinamiento insospechados se confiesan un amor puro y tierno, que viene a afirmar aún más la dimensión humana y total del de Flérida y don Duardos. Los labradores son capaces de vivir el amor con tanta ternura y belleza como los amantes cortesanos. Don Duardos y Flérida son, por tanto, la encarnación de la vivencia integral del amor, al margen de toda consideración social o novelesca, fuera de todo código preestablecido. Su amor es tan real como el de Julián y Costanza. El de éstos es tan bello como el de Flérida y don Duardos. Dámaso Alonso [19] ha visto en esta obra la afirmación de la igualdad del ser humano ante el amor. De ahí su dimensión transtemporal.

Pero no olvidemos la contingencia histórica que ata la tragicomedia a una tradición literaria, a una práctica dramatúrgica y a un contexto político-social.

La *Tragicomedia de don Duardos* dramatiza ciertos pasajes del *Primaleón*, libro segundo del *Palmerín de Oliva*, cuya primera edición apareció en Salamanca en 1512. Gil Vicente recurrió, como referente textual, a partes de los capítulos

[19] Gil Vicente, *Tragicomedia de don Duardos*, ed. de Dámaso Alonso, pág. 19.

LXXX-XCII, XCV, XCVIII-CXI, CXXV y CXXVII-CCIX, pero redujo notablemente la materia novelística, condicionado, como es lógico, por el vehículo dramático de que disponía. Pero más importante que la presión del instrumento es la voluntad vicentina de dar una nueva dimensión a la historia de los amores de don Duardos y Flérida, y, en general, a la dinámica tradicional del amor cortesano.

El camino de amor que separa a Flérida y don Duardos está lleno de obstáculos. Son los impedimentos tradicionales del género caballeresco: don Duardos tiene que pasar una larga y oscura noche (¿noche oscura del alma del amador «a lo humano»?) en el jardín de palacio; Flérida deberá tomar una poción mágica; don Duardos ha de rechazar la tentación que supone el amor de una muchacha de baja clase social. Hasta ahí, todo entra en el molde caballeresco. Pero, como dice Hart [20], Gil Vicente da nueva vida a las convenciones del amor cortés, insistiendo precisamente en el carácter *convencional* de dichas prácticas amorosas. En *Don Duardos* el autor no nos pone frente a convenciones literarias, sino ante emociones profundas. Si el tema del amor pide sacrificio al amante, en la *Tragicomedia* se le exige el sacrificio a la heroína, que es quien tiene que pasar las pruebas más duras. En el modelo tradicional es la mujer quien impone al amador la superación de ciertas dificultades. Aquí es don Duardos quien exige a Flérida un amor no condicionado por la calidad social, sino única y exclusivamente por el valor personal del amado. Don Duardos, contra toda codificación literaria, impone la realización de la boda en la lejana Inglaterra, no en el palacio de Constantinopla donde vive Flérida. Y la mujer rompe con la tradición cortesana y acepta la «prueba». La obra dramatiza toda la trágica ansiedad de don Duardos, para quien una negativa de Flérida supondría el fin de la aventura, la muerte del amor. Don Duardos se arriesga a perder lo que adora. El sufrimiento que le impone la falta de seguridad en la consecución de su objetivo, «le absuelve de ser un monstruo de egoísmo» [21].

Nos referíamos hace un momento al problema de la adoración de la amada, implicando así toda la serie de connotaciones religiosas existentes en el amor cortés. Gil Vicente sigue la tradición de la novela caballeresca y recurre al léxico propio del ceremonial amoroso cortesano, calcado, en algunos de sus componentes, sobre el utilizado en la literatura religiosa para definir la relación del hombre con la divinidad. El enamorado ve en la amada a la diosa que hay que servir y venerar, con la

---

[20] «Courtly Love...», *pássim*.
[21] Gil Vicente, *Obras dramáticas...*, edic. Hart, pág. XLIV.

esperanza de una recompensa final. En *Don Duardos* se hace sentir de manera muy especial esta tradición del amor cortés, porque la Inquisición intervino celosamente expurgando toda «divinización» de la amada o toda alusión más o menos ligera al andamiaje religioso de la sociedad de la época (ángeles, ceremonias litúrgicas, pecados, gracia, etc.).

La transcripción que de los textos de 1562 —los ordenados por Luis Vicente— y de 1586 —los censurados por la Inquisición— ha hecho magistralmente Reckert [22] permite ver cómo el tribunal eliminó todas las veces en que Flérida es llamada «diesa», en que el amador confiesa que «pequé, señora, a ti», en que las penas de amor se comparan a las del infierno, o en que el amante confiesa que «adora» a la amada. El texto de 1586, con la torpeza característica de toda intervención censora del aparato estatal, eclesiástico o de partido, deja al descubierto, por ausencia, buena parte del metalenguaje religioso recuperado por la práctica del amor cortesano de la literatura piadosa. Reckert ha agrupado, bajo distintas categorias (herejía amorosa, paganismo, desesperación, blasfemia) [23], las pintorescas intervenciones de la Inquisición en la *Copilaçam* de 1586. ¿Por qué esta censura tan radical? El mismo Reckert [24] sugiere que a los inquisidores no les podían agradar, en Gil Vicente, «su alegre independencia de espíritu, su curiosidad intelectual perennemente juvenil y despierta, o la amplia humanidad de su visión moral».

Dos palabras, para terminar esta introducción, sobre uno de los logros mayores del teatro vicentino y, particularmente, de *Don Duardos*. El autor ha utilizado canciones y cantigas, intercaladas en la acción dramática, pero con una función nueva, que los villancicos finales de Encina o Fernández no tenían aún. Las canciones de Gil Vicente sirven para condicionar el desarrollo de la obra y para dar a los personajes una dimensión que el teatro primitivo castellano no había descubierto todavía. Dámaso Alonso, en la introducción de su edición de *Don Duardos*, estudió esta inserción de la lírica —de la oral tradicional, sobre todo— en el tejido dramático del teatro vicentino. El amor de Flérida y don Duardos usa también ese vehículo, la cantiga, como medio de encarnación dramática. Gil Vicente abrió así unas veredas que llevarían irremediablemente a la incorporación de la lírica en la comedia lopesca y el gran teatro nacional.

[22] *Gil Vicente*, págs. 260-461.
[23] Id., págs. 253-255.
[24] Id., pág. 25.

La métrica de la «Tragicomedia»

Las formas métricas, versos y series estróficas, usadas por Gil Vicente en *Don Duardos*, son muy variadas. El autor, por otra parte, no tiene grave inconveniente en romper el molde con frecuencia (hipermetría o hipometría versal; rimas vacilantes que responden al mismo tiempo, y sin que el texto lo manifieste abiertamente, a los condicionamientos de los sistemas fonológicos castellano y portugués; ruptura injustificada de las series estróficas, etc., etc.). Gil Vicente siente atada su libertad creadora sólo hasta cierto punto. A partir de ahí no tiene inconveniente en usar de la libertad que le dicta su propia voluntad.

En *Don Duardos* se sigue generalmente un mismo esquema métrico cuando hablan los personajes nobles. Se trata de un conjunto de dos series de seis versos ($a^8b^8c^4a^8b^8c^4$) que se repiten, aunque, en varias ocasiones, el bloque queda reducido a una sola serie. Los versos $3.^\circ$ y $6.^\circ$ tienen, con mucha frecuencia, 5 u 8 sílabas. En otras circunstancias, y sobre todo cuando intervienen las figuras no nobles, surgen otras combinaciones métricas, menos rígidas, y, como siempre, sujetas al capricho momentáneo del autor. Tales son, por ejemplo, los modelos siguientes: $a^8b^8b^8a^8c^4c^8d^8d^8c^8$, $a^8b^8a^8b^8a^8b^8$, $a^8b^8b^8a^8b^8$, $a^8b^8b^8a^8$, $a^8a^8b^8b^8a^8$, etcétera.

El largo romance final es de tipo métrico tradicional. Y hay que notar también alguna serie de versos de arte mayor (rimados así: ABBACDDC), con variaciones de 11 a 13 sílabas y con predominio de las unidades dodecasilábicas.

Nuestra edición

Utilizando la transcripción diplomática de Reckert hemos fijado nuestro texto a partir del de la *Copilaçam* de 1562, con algunas correcciones tomadas de la de 1586. La edición de Hart nos ha servido de continuos apoyo y referencia, así como ciertas notas de la de Dámaso Alonso.

Hemos modernizado las grafías, excepto en los casos de evidente lusismo, en que se ha conservado la forma original. Hemos resuelto las contracciones con el uso del apóstrofo y adoptado la puntuación y la acentuación modernas.

Aparecen traducidas al castellano las didascalias que la *Copilaçam* conserva en lengua portuguesa. Se han utilizado, dentro de lo posible, las estructuras sintácticas y el léxico frecuentes en situaciones análogas del teatro primitivo castellano.

En las notas, reducidas a límites aceptables, explicamos el sentido de ciertas palabras, justificando el texto fijado —si es necesario—, pero no comentamos las formas comunes a la lengua de la época, por ser fenómenos conocidos y tratados en las historias de la lengua castellana. Hemos prescindido de identificar: los casos de reducción de grupos consonánticos *(vueso/a* por *vuestro/a, nueso/a* por *nuestro/a)* o de no asimilación *(nascí* por *nací);* las formas *agora* por *ahora* y *ansí* por *así;* las variaciones en el timbre vocálico del tipo *escura* por *oscura, hobieran* por *hubieran;* las segundas personas del plural de las formas verbales, que aparecen generalmente en el estado *cobrastes* por *cobrasteis* o, en el más anticuado, *tuviérades* por *tuvierais;* la forma *comigo* por *conmigo,* caso de reducción del doble fonema bilabial; la asimilación del fonema «r» final del infinitivo al «l» inicial del pronombre enclítico de tercera persona *(dejalle* por *dejarle);* los futuros del tipo *porná* por *pondrá, verná* por *vendrá,* en los que todavía no se ha producido la epéntesis o metátesis que desfigura el tema n-r *(poner, venir).*

Bibliografía selecta

1. Ediciones

Las ediciones más importantes de la *Tragicomedia de don Duardos* están en:

Copilaçam de todas las Obras de Gil Vicente. Lisboa, 1562. De ella se hizo una edición facsímile en Lisboa, 1928. Una segunda edición de la *Copilaçam,* mutilada por la censura inquisitorial, apareció en Lisboa, 1586.

Tragicomedia de don Duardos. Edición, estudio y notas de Dámaso Alonso. Madrid, C.S.I.C., 1942.

Obras completas. Ed. de Marqués Braga. 2.ª edición. Lisboa, Sá da Costa, 1951. 6 vols.

Obras dramáticas castellanas. Edición, estudio y notas de Thomas R. Hart. Madrid, Espasa Calpe, 1962.

2. Estudios

BELL, AUBREY F. G., *Gil Vicente.* Oxford, Oxford University Press, 1921.

BRAAMCAMP FREIRE, A., *Vida e Obras de Gil Vicente «Trovador, Mestre da Balança».* Lisboa, Revista Occidente, 1944.

CASTRO E AZEVEDO, LUÍZA MARIA DE, *Bibliografía vicentina.* Lisboa, Biblioteca Nacional, 1942.

HART, THOMAS R., «Courtly Love in Gil Vicente's [Don Duardos]» (*Romance* Notes, II, 1961, pp. 103-106).

MICHAËLIS DE VASCONCELOS, CAROLINA, *Notas vicentinas*. Lisboa, Revista Occidente, 1949.

PICCHIO, LUCIANA STEGAGNO, *História do Teatro Português*. Lisboa, 1969.

PARKER, JACK H., *Gil Vicente*, Nueva York, Twayne Publishers, 1967.

RECKERT, STEPHEN, *Gil Vicente: Espíritu y letra. I. Estudios*. Madrid, Gredos, 1977. (El volumen incluye una transcripción diplomática, con pequeñas correcciones bien identificadas, de las ediciones de *Don Duardos* de 1562 y 1586.)

REVAH, I. S., «Gil Vicente a-t-il été le fondateur du théâtre portugais?» (*Bulletin d'Histoire du Théâtre Portugais*, I, 1950, pp. 153-185).

— «La [comédia] dans l'oeuvre de Gil Vicente» (*Bulletin d'Histoire du Théâtre Portugais*, II, 1951, pp. 1-39).

— *Recherches sur les oeuvres de Gil Vicente. I. Edition critique du premier [Auto das barcas]* (Lisboa, 1951). *II. Edition critique de l'[Auto de Inês Pereira]* (Lisboa, 1955).

SARAIVA, ANTÓNIO JOSÉ, *Gil Vicente e o fim do teatro medieval*. Lisboa, 1942.

— *História da cultura en Portugal*. Lisboa, 1955.

TEYSSIER, PAUL, *La langue de Gil Vicente*. París, 1959.

Tragicomedia de don Duardos *

(Entra primero la corte de Palmerín con estas figuras: S. EMPERA-DOR, EMPERATRIZ, FLÉRIDA, ARTADA, AMANDRIA, PRIMALEÓN, don ROBUSTO. Y después de sentados éstos, entra don DUARDOS a pedir campo al EMPERADOR con PRIMALEÓN, su hijo, sobre el agravio de GRIDONIA, diciendo:)

D. DUARDOS: Famosísimo señor,
vuesa sacra majestad
sea enxalzada,
y viva su resplandor
tanto como su bondá   5
es pregonada.
Y los dioses inmortales
os den gloria 'n este mundo
y en el cielo,
pues sobre los terrenales   10
sois el más alto y facundo
d'este suelo.
Vengo, señor, a pedir
lo que no debéis negar,
que vueso estado   15
es por la verdad morir
y la verdad conservar
con cuidado,

*   La *Copilaçam* de 1562 (C¹) conserva las didascalias redactadas en portugués. Las
    traducimos al castellano, acercándonos en lo posible al lenguaje utilizado en las
    didascalias por los primitivos dramaturgos castellanos.
3   *enxalzada,* 'ensalzada'.
5   *bondá,* 'bondad'.

porque sois suma justicia,
que es hija de la verdad, 20
de tal son
que, por ira ni amicicia,
no deje vuesa majestad
la razón.

Que si, con muestra de rey, 25
vendierdes después, señor,
falso paño,
vos os quedaréis sin ley
y será emperador
el engaño. 30
Gridonia, señor, está
agravïada en extremo
y, de manera,
que de pesar morirá.
Y pues, señor, esto temo... 35
¡Dios no quiera!

EMPERADOR: Esforzado venturero,
muestra el razonamiento
que habéis hecho
que sois más que caballero. 40

D. DUARDOS: No soy más que cuanto siento
este despecho.
Primaleón le mató
a Perequín, que ella amaba
como a Dios; 45
ansí que a ella herió
y, aunque con uno lidiaba,
mató dos.

PRIMALEÓN: ¿Vos venís a demandallo?

D. DUARDOS: ¿Por ventura sois, señor, 50
Primaleón?

PRIMALEÓN: Yo soy.

D. DUARDOS: Pues vengo a vengallo,
si el señor emperador

---

21 *son*, 'Modo, manera'.
22 *amicicia*, 'amistad'.
23 Verso eneasílabo.
25 «Porque si con muestra de Rey» en C[1]. Así en *Copilaçam* de 1586 (C[2]). Sería
    verso eneasílabo.
26 *vendierdes*, 'vendiereis'. Así en C[2]. En C[1] *vendieredes*. Sería verso eneasílabo.
37 *venturero*, 'el que anda vagando ocioso y sin ocupación u oficio'.

	no ha pasión.	
EMPERADOR:	Caballero, mal hacéis,	55
	quienquiera que vos seáis.	
D. DUARDOS:	¿Por qué, señor?	
EMPERADOR:	Porque razón no tenéis	
	y vuesa muerte buscáis	
	y no loor.	60
D. DUARDOS:	Mucho sonada es la fama	
	del vueso Primaleón,	
	mas no deja	
	de ser hermosa la dama	
	Gridonia, que con razón	65
	d'él se aqueja.	
PRIMALEÓN:	Ahora lo veréis presto	
	si tiene razón, si no.	
D. DUARDOS:	Ya se tarda.	
	¡Que las armas juzgan esto!	70
PRIMALEÓN:	Ora, pues, ver quiero yo	
	quién las aguarda.	

(En este momento se pelean, y temiendo el EMPERADOR la muerte de dos tales caballeros, según tan fuertemente se peleaban, mandó a su hija FLÉRIDA que los fuese a separar, la cual dice:)

FLÉRIDA:	¡A paz, a paz, caballeros!,	
	que no son para perder	
	tales dos,	75
	y vuesos brazos guerreros	
	cesen, por me hacer placer	
	y por Dios.	
	Y a vos, hidalgo extranjero,	
	pido por amor de mí,	80
	sin engaño,	
	que vos seáis el primero	
	que no queráis ver la fin	
	d'este daño.	
D. DUARDOS:	Señora, luego sin falla,	85
	no por temor ni por Dios,	
	soy contento,	

54 *ha*, 'tiene'; *pasión*, 'inclinación, preferencia'.
66 *aqueja*, 'queja'.
71 *ora*, 'ahora'.

131

	porque más fuerte batalla	
	contra mí traéis con vos.	
	Yo lo siento.	90
	¡Oh, admirable ventura!,	
	que en medio de una cuestión,	
	en extremo	
	halle otra más escura	
	guerra, de tanta pasión	95
	que la temo.	
FLÉRIDA:	¿Ansí, noble caballero,	
	os vais, sin más descobrir?	
D. DUARDOS:	Yo vendré.	
	Cobraré fama primero,	100
	si amor me deja vivir.	
	Mas ¡no sé!...	
FLÉRIDA:	Dibiérale preguntar	
	su nombre, por lo saber,	
	y hice mal.	105
ARTADA:	Si no es el Doncel del mar,	
	don Duardos debe ser,	
	que es otro tal.	

*(Idos don DUARDOS y PRIMALEÓN y sentada FLÉRIDA con la EMPE-
RATRIZ, entre CAMILOTE, caballero salvaje, con MAIMONDA, su da-
ma, cogida de la mano, y siendo ella la cumbre de toda fealdad,
CAMILOTE viene alabándola de esta manera:)*

CAMILOTE:	¡Oh, Maimonda, estrela mía!	
	¡Oh, Maimonda, frol del mundo!	110
	¡Oh, rosa pura!	
	Vos sois claridad del día.	
	Vos sois Apolo segundo	
	en hermosura.	
	Por vos cantó Salamón	115
	el *Cantar de los cantares*	
	namorados.	

---

103 *dibiérale*, 'debiérale'.
106 Es Amadís de Gaula, el misterioso Dondel del mar que aparece en los primeros
     capítulos del libro I del *Amadís*.
109 *estrela*, 'estrella'. Lusismo.
110 *frol*, 'flor'.
115 *Salamón*, 'Salomón'.
117 *namorados*, 'enamorados'.

	Sus canciones vuesas son	
	y vos le distes mil pares	
	de cuidados.	120
MAIMONDA:	Todo loor es hastío	
	en la prefeción segura	
	y manifiesta.	
	Bien basta que en ser vos mío	
	se prueba mi hermosura	125
	bien compuesta.	
CAMILOTE:	Bien decís.	
MAIMONDA:	Mas ansí es.	
CAMILOTE:	Esperad, señora mía.	
MAIMONDA:	¿Qué, señor?	
CAMILOTE:	Diana hermosa es,	130
	pero quiere cadaldía	
	su loor.	
	Y la diesas soberanas	
	muestran sañas y terrores	
	a deshora,	135
	cuando las lenguas humanas	
	no publican sus loores	
	cada hora.	
	Pues bien manifiesta y clara	
	es la hermosura d'ellas	140
	y el valer,	
	pues a vos no se compara	
	ni ellas, ni las estrellas,	
	a mi ver.	
MAIMONDA:	Ni el mundo, por mi vida.	145
CAMILOTE:	Pues dejaos loar, señora.	
MAIMONDA:	¿Para qué?	
CAMILOTE:	Porque es cosa sabida	
	que quien ama y no adora	
	no tien fe.	150
	¡Si esto fuese lisonjaros,	
	como muchos que han mentido	
	a sus esposas!	

---

122 *prefeción*, 'perfección'.
130 la diosa Diana.
131 *cadaldía*, 'cada día'.
133 *diesas*, 'diosas'. Ultracorrección basada en *deesa*, frecuente en castellano y portugués antiguo. *Vid.* edic. de Dámaso Alonso.
150 *tien*, 'tiene'.

	Mas eso me da miraros	
	que ver un vergel florido	155
	con mil rosas.	
MAIMONDA:	Ansí me dice el espejo,	
	d'esa propria manera	
	d'esos prados.	
CAMILOTE:	Señora, es mi consejo	160
	de tomar la delantera	
	a esforzados.	
	A Costantinopla vamos,	
	señora, al emperador	
	Palmeirín.	165
	Allá quiero ir. Veamos	
	lo que vuestro resplandor	
	obra en mí.	
	Yo porné esta grinalda	
	sobre vuesa hermosura,	170
	que es sobr'ella.	
	Veremos, ¡oh, mi esmeralda!,	
	quién dirá que ama figura	
	tanto bella.	
MAIMONDA:	No es mucho que venzáis,	175
	teniendo tanta razón.	
CAMILOTE:	A eso os vo,	
	que, cada vez que miráis,	
	matáis de pura afición	
	a aquel que os vio.	180
MAIMONDA:	Ya un ángel me dijo eso.	
CAMILOTE:	¿Estando solos?	
MAIMONDA:	Sí, señor.	
CAMILOTE:	¿Apartados?	
MAIMONDA:	Era ángel, ¿y pésaos d'eso?	
CAMILOTE:	Siempre me da vueso amor	185
	más cuidados.	
	Pídoos que no habléis	
	ni con ángeles, señora,	
	d'esa suerte.	

154 *eso*, 'lo mismo'. Tiene el sentido etimológico del latín, *ipsu*.
158 *esa*, 'la misma'. Vid. v. 154. *Propria*, 'propia'.
163 *Costantinopla*, 'Constantinopla'.
169 *grinalda*, 'guirnalda'. Lusismo.
177 *vo*, 'voy'.

	Si no, ahorcarme haréis	190
	y vos seréis causadora	
	de mi muerte.	
MAIMONDA:	Vamos adonde queréis.	
	Celos no los excusáis,	
	qu'el que ama	195
	recela, como sabéis,	
	cuanto más vos, que amáis	
	a tal dama.	
	Decidme, señor, os pido,	
	¿es mayor dolor celar	200
	con razón,	
	o mayor no ser querido?	
CAMILOTE:	No ser querido y amar	
	es gran pasión.	

(Llegan delante del EMPERADOR y dice CAMILOTE:)

CAMILOTE:	Clarísimo emperador;	205
	sepa vuestra majestad	
	imperial,	
	que esta doncella es la frol	
	de la hermosa beldad	
	natural.	210
EMPERADOR:	¿Cúya hija es, si sabéis?	
CAMILOTE:	Hija del sol es, por cierto.	
EMPERADOR:	Bien parece.	
	¿En qué intención la traéis?	
CAMILOTE:	Por mostrar por quien soy muerto	215
	qué merece.	
EMPERADOR:	Cobrastes alta ventura.	
	¿Qué años habrá ella?	
CAMILOTE:	Daré prueba	
	que, a poder de hermosura,	220
	el tiempo vive con ella	
	y la renueva.	
	La primera vez que la vi,	

189-192   En C¹ estos versos se atribuyen a Maimonda. En C² se suprimen, desde 181
a 191. Todo lo relativo al ángel.
208   *frol,* 'flor'.
223   Verso eneasílabo.

crea vuesa majestad
imperial,   225
que dije: «¡Oh, triste de mí!
Atajada es mi edad
por mi mal.»
Empero, señor, será
muchacha de cuarenta años,   230
mas no menos.

EMPERADOR: Y qu'es vuesa, ¿cuánto habrá?

CAMILOTE: Señor, míos son los daños,
no ajenos.
Pero ella no tien cuya,   235
y aunque vengo con ella
como suyo,
suyo soy y ella suya,
y en ver cosa tan bella
me destruyo.   240
Y demás de su beldá,
los hados la hicieron dina
de gran fiesta,
de suerte que no está
'n el mundo mujer divina   245
sino ésta.
Pedíla a los aires tristes
que la ayudaron a criar;
respondieron
con las tormentas que vistes   250
cuando las islas del mar
se hundieron.
A la nieve la pedí,
que del sol y también d'ella
se formó;   255
díjome: «Vete d'ahí,
que quien pudo merecella
no nació.»
No la hacéis, damas, a ésta

232 *aueraa*, en C¹, debido tal vez a la pronunciación portuguesa. Corregimos para
evitar la hipermetría.

235 *no tien cuya*, 'no tiene cuyo, no tiene amante'. Dámaso Alonso señaló que cabría
esperar *cuyo* por *cuya*.

241 *beldá*, 'beldad'.

242 *dina*, 'digna'.

245 *'n el mundo*. C¹ da *en el*. Hart corrige para eliminar la hipermetría.

	la debida cerimonia	260
	a vuesa guisa.	
AMANDRIA:	Señoras, ¡qué cosa es ésta!	
ARTADA:	Esta debe ser Gridonia	
	o Melisa.	
FLÉRIDA:	Parece a la reina Dido	265
	y Camilote a Eneas.	
ARTADA:	Sí, aosadas.	
FLÉRIDA:	Espantado es mi sentido.	
	¿Quién hizo cosas tan feas,	
	namoradas?	270
EMPERADOR:	Son los milagros de amores,	
	maravillas de Copido.	
	¡Oh, gran dios,	
	que a los rústicos pastores	
	das tu amor encendido	275
	como a nos!	
	Y a Camilote hace	
	adorar en esa muerte,	
	por mostrar	
	que hace cuanto le place	280
	y que nadie no le es fuerte	
	de acabar.	
	Tales fuerzas no tuvieron	
	otros dioses poderosos,	
	que hace ser,	285
	a los que nunca se vieron	
	enamorados, deseosos	
	sin se ver.	
	Estos son amores finos	
	y de más alto metal,	290
	porque son	
	los pensamientos divinos	
	y también es divinal	
	la pasión.	
	Los amores generales,	295

262-263 Personajes del mundo de los libros de caballerías.
265-266 Dido es la fabulosa reina y fundadora de Cartago, cuyos amores con Eneas
      celebró Virgilio en su *Eneida*.
267 *aosadas*, 'ciertamente, de verdad'.
270 *namoradas*, 'enamoradas'.
272 *Copido*, 'Cupido'.
282 *acabar*, *acacabar* en C¹. Probable errata.

                si dan tristeza y enojos,
                como sé,
                aunque sean speciales,
                primero vieron los ojos
                el porqué.   300
                Mas el nunca ver de vista
                y ser presente la ausencia,
                y conversar,
                es tan perfecta conquista
                que traspasa la excelencia   305
                del amar.
CAMILOTE: Todo eso padeció
                mi corazón dolorido,
                que por fama
                d'esta dama se perdió.   310
                y, sin verla, fui ardido
                en viva llama.
MAIMONDA: Decidme, por vuesa vida,
                cuando me vistes, ¿qué vistes?
CAMILOTE: Vi a Dios   315
                y la campana tañida
                de la fama, que hezistes
                para vos.
AMANDRIA: No podía menos ser,
                porque es una Policena.   320
ARTADA: ¡Tal es ella!
CAMILOTE: Bien podéis escarnecer,
                mas, ¡juro a Dios!, que ni Elena
                fue tan bella.
ARTADA: ¡Algo será más hermosa   325
                Flérida!
CAMILOTE: ¿Quién? ¿Aquélla?
                ¡Asaz de mal!
                ¡Por Dios, vos estáis donosa!
                Comparáis una estrella
                a un pardal.   330

298 *speciales*, 'especiales'.
303 *conversar*, 'enamorar'. Lusismo, según Hart.
320 Policena o Polixena, princesa amada de Aquiles y sacrificada sobre su tumba.
     Vid. Hécuba de Eurípides.
323 Elena, princesa griega célebre por su belleza. Su rapto por Paris originó la gue-
     rra de Troya.
330 *pardal*, 'gente de las aldeas, que va vestida de color pardo'.

D. ROBUSTO:	Mucho os desmandáis vos.	
CAMILOTE:	¿Queréislo vos demandar?	
D. ROBUSTO:	¿Sois caballero?	
	Si lo sois, juro a Dios	
	que os haga yo tornar	335
	majadero.	
	¿Y en Flérida habláis vos?	
	Nadie es dino de vella	
	ni osamos,	
	porque nos defende Dios	340
	que no pensemos en ella,	
	que pecamos.	
	Y manda, no sé por qué,	
	que, por do vaya o esté,	
	la tierra sea sagrada,	345
	y sea luego adorada	
	la pisada de su pie.	
	¡Oh, hereje entre varones!	
	¿Puede ser mayor locura	
	que la excelsa hermosura	350
	compararla con tisones,	
	contra Dios, contra natura?	
CAMILOTE:	Ante que hayamos enojos,	
	caballero, abrí los ojos,	
	que debéis tener lagaña	355
	y veis por tela d'araña.	
	¡Cúmpleos poner antojos!	
D. ROBUSTO:	¿A qué tengo de mirar?	
CAMILOTE:	La belleza de Maimonda,	
	que en la tierra, a la redonda,	360
	no se halló nunca su par	
	ni señora de su suerte.	
D. ROBUSTO:	Más cercana os es la muerte	
	que la verdad, caballero.	
CAMILOTE:	Yo he sido tan certero	365
	que os juro que os acierte.	

331 *demandais*, en C¹. Así en C².
338 *dino*, 'digno'.
340 *defende*, 'prohíbe'. Lusismo probable.
351 *tisones*, 'tizones'. Lusismo probable. Hart sugiere que tal vez sea errata.
353 *Ante*, 'antes'.
355 *lagaña*, 'legaña'.
357 *antojos*, 'anteojos, gafas'.

D. ROBUSTO:	Decid antes que os conquiste,
	con los hinojos hincados,
	la oración de los ahorcados,
	que es ell *Anima Christe*, 370
	por vuesa ánima y pecados.
CAMILOTE:	¡Oh, Maimonda, mi señora,
	vos me quitáis el recelo!
D. ROBUSTO:	Yo os juro a Dios del cielo
	que presto la dejéis ora. 375
CAMILOTE:	¡Vos ya no sois don Duardos,
	ni menos Primaleón
	no seréis!
D. ROBUSTO:	Ni soy de los más bastardos
	en esfuerzo y corazón, 380
	como veréis.
	Y debéis por honra vuesa,
	pues de morir tenéis cierto
	d'esta trecha,
	buscar luego, antes de muerto, 385
	el que os haga la huesa
	muy bien hecha.
CAMILOTE:	¿Ansí?
D. ROBUSTO:	¡Sí, don salvaje!
CAMILOTE:	Muy alto, esclarecido
	emperador: 390
	yo nunca sofrí ultraje,
	sino sólo ser vencido
	del amor.
	Cogí en bravas montañas
	esta grinalda de rosas, 395
	por hazaña,
	entre diez mil alimañas
	muy fieras, muy peligrosas.
	¡Cosa extraña!
	Y pues a tan peligrosa 400

368 'de rodillas'.
370 Gillet, en el vol. III, pp. 311-312, nota 38, de su edición de la *Propalladia*, de Torres Naharro, aclara el sentido del *Anima Christe*.
375 *ora*, 'ahora'.
384 *trecha*, 'treta'.
395 *grinalda*, 'guirnalda'. Lusismo.
399 *estaña* en C¹. Errata.

	ventura, de buena gana	
	me ofrecí,	
	la doy a la más hermosa	
	que nació en la vida humana	
	hasta aquí.	405
	Y cualquiera caballero	
	d'esta corte, que dixiere	
	que su dama	
	la merece por entero,	
	salga, y muera el que moriere,	410
	por la fama.	
	Y aún cualquier que dixiere	
	que a Flérida conviene	
	más que a ella,	
	yo le haré conocer	415
	que miente con cuanto tiene,	
	delante ella.	
D. ROBUSTO:	Yo os lo quiero combatir.	
CAMILOTE:	¿Vos, señor emperador,	
	dais licencia?	420
EMPERADOR:	Sí doy, y allá quiero ir	
	ver el campo y el loor	
	y la sentencia.	

(Se van todos y entra la infanta OLIMBA con don DUARDOS.)

OLIMBA:	¿Cuánto tiempo ha, señor	
	don Duardos, que partistes	425
	de Inglaterra?	
D. DUARDOS:	No lo sé, porque el amor	
	en la cuenta de los tristes	
	siempre yerra.	
	Después que a Flérida vi,	430
	cuando con Primaleón	
	combatía,	
	perdí la cuenta de mí	
	y cobré esta pasión	
	que era mía.	435

---

407 *dixiere*, 'dijere'. La modernización de la grafía hubiese alterado demasiado la forma original.

412 *dixiere*, 'dijere'. *Vid.* v. 407. La rima exige *dixier*, como en portugués *disser*. La apócope del futuro es conocida en los textos dramáticos de la época.

Alcanzó paz a su hermano.
Trújome guerra consigo
sólo en vella,
tal que no es en mi mano
haber nunca paz comigo   440
ni con ella.
Decidme, señora ifanta:
Flérida, ¿cómo la habré?

OLIMBA: Con fatiga,
porque es su gravedad tanta,   445
mi señor, que yo no sé
qué os diga.
Más es eso de hacer
que vencerdes a Melcar
en Normandía,   450
ni cuando fuistes prender
a Lerfira en la mar
de Turquía;
ni matardes al soldán
de Babilonia, que matastes   455
y tan presto,
por librardes de afán
Belagriz, como librastes.
¡Más es esto!

D. DUARDOS: Esa guerra es ya vencida.   460
En ésta quería esperanza
de vencer.

OLIMBA: No la tengáis por perdida,
que lo mucho no se alcanza
a bel placer.   465
Muchos son enamorados
y muy pocos escogidos,
que amor

---

437   *Trújome*, 'trájome'.
442   *ifanta*, 'infanta'.
443   *aueree*, en C¹. *Vid.* v. 232.
448   *vencerdes*, 'vencer'. Infinitivo conjugado según la morfología verbal del portugués. *Melcar* es *Belcar* en C², forma que corresponde a la del *Primaleón*.
450   C² corrige y da *Hungría*, quizás por presión del cómputo silábico, según Reckert.
452   Zerfiro en C². Reckert supone errata en ambos textos. Debería ser *Zerfira*.
454   *matardes*, 'matar'. Infinitivo conjugado a la portuguesa; *soldán*, 'sultán'.
457   *librardes*, 'librar'. Infinitivo conjugado a la portuguesa.
458   *Belagriz* debe de ser errata por *Belagris*, según Reckert.
465   *a bel prazer*, en portugués. La forma *bel* existe en la poesía española del siglo XVI. Dámaso Alonso señala casos en su *Don Duardos*.

142

a los más altos estados,
aunque los haga abatidos,   470
es loor.
Dígolo porque, si a Flerida
amáis como habéis contado
y referido,
cúmpleos mudar la vida,   475
y el nombre, y el estado
y el vestido.

D. DUARDOS: Y aún el ánima mía
mudaré de mis entrañas
al infierno.   480

OLIMBA: Si amáis por esa vía,
haréis las duras montañas
plado tierno.
Iros hes a su hortelano
vestido de paños viles,   485
con paciencia,
de príncipe hecho villano,
porque las mañas sotiles
son prudencia,
y asentaros hes con él,   490
después que le prometiéredes
provecho,
y avisaros hes d'él
que no sinta en lo que hicierdes
vueso hecho.   495
Llevad estas piezas de oro
y esta copa de las hadas
preciosas.
Ternéis las noches de moro

---

472   *Flérida*, llana, es exigida por la rima, pero destruye la isometría versal.
483   *plado*, 'prado'. Ultracorrección a partir de la correspondencia entre el castellano *playa, plaza*, y el portugués *praia, praça*. *Vid.* Dámaso Alonso, v. 483.
484   *Iros hes*, 'os iréis'. El futuro con pronombre analítico incluido entre el infinitivo y el auxiliar se usaba en castellano a principios del siglo XVI. El portugués lo sigue usando.
490   *asentaros hes*, 'os asentaréis'. Vid. v. 484.
493   *avisaros hes*, 'os avisaréis'. Vid. v. 484.
494   *sinta*, 'sienta' e *hicierdes*, 'hiciereis' son lusismos, tal vez de imprenta, según Reckert.
499   las noches de moro o noches de placer. La sensualidad proverbial del moro parece ser la clave de la interpretación.

143

	y ternéis las madrugadas	500
	muy llorosas.	
	Haced que beba por ella	
	Flérida, porque el amor	
	que la tenéis	
	a ella, os terná ella,	505
	y perdida de dolor	
	la cobraréis.	
D. DUARDOS:	A los dioses inmortales	
	suplico, señora mía,	
	os den gloria,	510
	y aministren a mis males	
	camino, por esta vía,	
	de vitoria.	
OLIMBA:	¡Amén y ansí será!,	
	porque en Venus confío,	515
	mi señora,	
	que lo que suele hará,	
	y le enviaré el clamor mío	
	cada hora.	

(Vanse don DUARDOS y OLIMBA y vienen los hortelanos de la huerta de FLÉRIDA: S. JULIÁN, COSTANZA ROIZ, su mujer, y FRANCISCO y JUAN, sus hijos. Y dice JULIÁN:)

JULIÁN:	Costanza Roiz, amada.	520
COSTANZA:	Mi Julián, ¿qué mandáis?	
JULIÁN:	Que miréis cómo regáis,	
	que estragáis la mesturada,	
	que esta huerta	
	me tiene la vida muerta.	525
COSTANZA:	Amargo estáis.	
JULIÁN:	Tapad presto.	
COSTANZA:	Mi amor, ¿qué fue ahora esto?	
FRANCISCO:	No sé quién llama a la puerta.	
JULIÁN:	Mi fe, sea quien quisiere.	
	¡Monda, acaba norabuena,	530

---

500   *y las madrugadas* en C¹, por errata. Así en C².
511   *aministren*, 'administren'.
523   *mesturada.* Dámaso Alonso sugiere que indica 'algún cultivo en que se mezclen varias especies vegetales'.
530   *norabuena*, 'enhorabuena'.

144

	ve, abaja la melena!	
FRANCISCO:	¡Para 'l ruin que tal hiciere!	
	Vaya Juan.	
JUAN:	Primero vendrá del pan	
	y tocino una pieza,	535
	que yo baje la cabeza.	
JULIÁN:	Ve, apaña el azafrán.	
JUAN:	¡Cuerpo de Dios con la vida!	
	Pues tengo el nabo regado	
	y el rosal apañado,	540
	¿no mereço la comida?	
JULIÁN:	Es placer.	
	Mirad, señora mujer.	
COSTANZA:	¿Qué miráis, mi corderito?	
JULIÁN:	Cuán ufano y cuán bonito	545
	está el pomar dende ayer.	
COSTANZA:	¡Oh, qué cosa es el verano!	
JULIÁN:	Mirad, mi alma, el rosal	
	cómo está tan cordeal	
	y el peral tan lozano.	550
COSTANZA:	¡Cuán alegre y cuán florido	
	está, señor mi marido,	
	el jazmín y los granados,	
	los membrillos cuán rosados	
	y todo tan florecido!	555
	Los naranjos y manzanos...	
	¡Alabado sea Dios!	
JULIÁN:	Pues más florida estáis vos.	
FRANCISCO:	Padre, ¿no oís batir	
	a la puerta ha ya un mes?	560
JULIÁN:	Algo vienen a pedir.	
	¿Quién está hi?	
D. DUARDOS:	De paz es.	
	Julián, por Dios os ruego	
	que abráis.	

541 *mereço*, 'merezco'. Mantenemos la grafía antigua por tratarse de un lusismo.
546 *dende*, 'desde'.
547 *verano*, 'primavera'.
549 *cordeal*, 'cordial'.
562 *hi*, 'ahí'.
564 *abrería*, 'abriría'. Lusismo. La disimilación i/e ante i tónica es frecuente en portugués.

JULIÁN: Sí abrería,
          mas Flérida vendrá luego.   565
D. DUARDOS: Pues, Julián, yo os dería
          cosas de vueso sosiego,
          y descanso y alegría.
JULIÁN: Esperad y llamaré
          la señora mi mujer,   570
          que, si es cosa de placer,
          solo no lo quiero ver,
          porque no lo gustaré.
          Costanza Roiz, vení acá,
          que, sin vos, soy todo nada.   575
          Catad, señor, que esta entrada
          nunca se dio ni dará,
          que esta huerta es muy guardada.

(Abrele la puerta y, viéndole en traje de trabajador, le dice:)

          Pero, ¿dónde sois, hermano?
D. DUARDOS: D'Inglaterra.
JULIÁN: ¿Y qué mandáis?   580
D. DUARDOS: Querría ser hortelano
          si vos me lo enseñáis.
          Y quiero decirlo llano:
          En esta huerta, señor,
          está terrible tesoro   585
          de infinitas peças d'oro,
          y sólo yo soy sabidor.
          Esto es cierto.
          Hagamos un tal concierto
          que me tengáis, simulado,   590
          y de vos perdé el cuidado
          si tenéis esto encubierto.
JULIÁN: A la infanta ¿qué diremos
          se os viere aquí andar?

566 *dería*, 'diría'. Lusismo. Vid. v. 564.
574 *vení*, 'venid'.
579 *dónde*, 'de dónde'.
586 *peças de oro*, 'piezas de oro'. Respetamos la grafía antigua por ser lusismo.
590 *simulado*, de *simular*, 'representar fingiendo lo que no es'.
591 *perdé*, 'perded'.
594 *se*, 'si'. Lusismo. Aparece también en leonés occidental antiguo y en Torres
     Naharro.

146

COSTANZA: Por mi hijo puede pasar.   595
           Julián le llamaremos.
           Vendrá ora
           y yo le diré: «Señora...»
           Y lo demás quiero callar.
           Bien podéis aquí andar,   600
           y vengáis mucho en buen hora.

(Entrando don DUARDOS en la huerta, dice:)

D. DUARDOS: Huerta bienaventurada,
             jardín de mi sepultura
             dolorida,
             yo adoro la entrada,   605
             aunque fuese sin ventura
             la salida.

(Viene FLÉRIDA con sus damas, AMANDRIA y ARTADA, y vienen conversando por la huerta sobre el desafío de don DUARDOS con PRIMALEÓN.)

FLÉRIDA: ¡Oh, cuánto honran la tierra
           los caballeros andantes
           esforzados!   610
AMANDRIA: Mucho enamora su guerra
           y aborrecen los galanes
           regalados.
FLÉRIDA: ¡Oh, qué grande caballero!
ARTADA: ¿Cuál, señora?
FLÉRIDA: El que herió   615
           a Primaleón.
ARTADA: No vino tal venturero
           a la corte, ni se vio
           tal corazón.
AMANDRIA: ¿Supe, señora, quién era?   620

---

597 *ora*, 'ahora'.
605 *adora* en C¹, por errata. Pasaje suprimido en C².
612 *aborrecen*, 'fastidian, molestan'.
615 *herió*, 'hirió'. Lusismo.
617 *venturero*, 'aventurero'.
620 *Supe*, 'supo'. Lusismo. En portugués coinciden la primera y tercera personas, *soube*.

147

FLÉRIDA:	Nunca se me quiso dar
	a conocer,
	mas, a según su manera,
	gran señor, a mi pensar,
	debía ser.
ARTADA:	¡Cuán fuertemente lidiaba!
AMANDRIA:	¡Oh, cómo se combatía
	apresurado!
FLÉRIDA:	¡Qué ricas armas armaba,
	y cuán mañoso lo hacía
	y cuán osado!
COSTANZA:	Dios bendiga a vuesa alteza
	y os dé mucha salud,
	y logréis la juventud
	sin fatiga ni tristeza.
	Estas rosas
	son de las más olorosas.
FLÉRIDA:	Serán de casta d'Hungría.
	Mas, decidme, ¿no es día
	hoy de hacer afán?
	¿Dónde es ido Julián
	y toda su compañía?
COSTANZA:	No es día de holgar,
	sino donde hay placer.
	Un hijo nos vino ayer
	que nos quitó gran pesar.
FLÉRIDA:	¡Bendígaos Dios!
	¿Otro hijo tenéis vos?
COSTANZA:	Veinte años hace este mes.
FLÉRIDA:	Pues que vueso hijo es,
	decilde que venga a nos.
COSTANZA:	Viene roto. Hasta mañana
	no osará parecer.
FLÉRIDA:	El hombre queremos ver,
	que los paños son de lana.
COSTANZA:	¡Julián, mi hijo, mi diamán!
	llámaos la princesa
	Flérida.

Line numbers: 625, 630, 635, 640, 645, 650, 655

---

640 *afán*, 'trabajo corporal'.
651 *decilde*, 'decidle'.
656 *diamán*, 'diamante'; *damian* en C¹. Así en C².

D. DUARDOS:	¡Mas diesa	
	que todos alabarán!	
	¿Cuál corazón osa ahora,	660
	en tan disforme visaje	
	y vil figura,	
	ir delante una señora	
	tan altísima en linaje	
	y hermosura?	665
	Y vos, mis ojos indignos,	
	¿cuáles hados os mandaron,	
	siendo humanos,	
	ir a ver los más divinos	
	que los dioses matizaron	670
	con sus manos?	
FLÉRIDA:	¿Ha mucho que eres venido?	
	¿En qué tierras andoviste,	
	Julián?	
	¿No hablas?	
ARTADA:	Está corrido.	675
FLÉRIDA:	¿Cuánto había que fuiste?	
AMANDRIA:	¿Quieres pan?	
ARTADA:	¡Bendiga Dios el niñito,	
	cómo es bonito y despierto!	
	¿No lo veis?	680
AMANDRIA:	Busquémosle un pajarito.	
	Este ni vivo ni muerto,	
	¿para qué es?	
ARTADA:	El sí aprovechará	
	para bestia d'atahona.	685
AMANDRIA:	Con retrancas.	
ARTADA:	¡Cuán despacio molerá!	
AMANDRIA:	¡O espulgará la mona	
	por las ancas!	
ARTADA:	Mas ¡echémosle a nadar	690
	en el tanque!	

---

658 *diesa*, 'diosa'. *Vid.* v. 133.
666 La rima con *divinos* sugiere una lectura *indinos*.
677-685 En C¹, estos versos se atribuyen a Artada. Seguimos, con Hart, la propuesta de Dámaso Alonso.
685 *atahona*, 'tahona'.
686 *retrancas*, 'correas que llevan las bestias de tiro'.
691 *tanque*, 'estanque'.

149

AMANDRIA:	Bien será.
ARTADA:	¡Suso, vamos!
FLÉRIDA:	¿Por qué no quieres hablar?
ARTADA:	Señora, él hablará si lo echamos. 695

D. DUARDOS: Señoras, cuando el corazón
del esfuerzo tiene mengua,
ya se piensa
que, de fuerza y con razón,
será turbada la lengua   700
y suspensa.
Porque yo vide a Melisa,
esposa de Recendós,
que Dios pintó;
vi Viceda y Valerisa,   705
por quien el rey Arnedós
se perdió.
Vi la hermosa Griola,
emperatriz d'Alemaña,
y sus doncellas;   710
vi Gridonia, una sola
imagen de gran hazaña
entre las bellas.
Y vi Silveda y Finea,
graciosísima señora   715
mucho linda;
vi las hijas de Tedea
y vi la ifanta Campora
y Esmerinda.
Mas, con vuesa hermosura,   720
parecen mozas d'aldea
con ganado;
parecen viejas pinturas,
unas damas de Guinea,
con brocado.   725
Son unas sombras de vos

---

696 Verso eneasílabo.
702 *vide*, 'vi'.
702-719 Son los personajes del *Primaleón*, publicado en 1516, como continuación del *Palmerín de Oliva*, u Olivia, aparecido en Salamanca en 1511.
709 *Alemaña*, 'Alemania'.
718 *ifanta*, 'infanta'.
724 'mujeres negras'.

	y figuras de unos paños	
	de Granada,	
	y tales os hizo Dios	
	que, aunque esté mudo mil años,	730
	no es nada.	
FLÉRIDA:	¿Viste a Primaleón	
	en los reinos extranjeros,	
	y sus famas?	
D. DUARDOS:	No es de mi condición	735
	de mirar a caballeros,	
	sino a damas.	
ARTADA:	¿En ti se entiende mirar?	
D. DUARDOS:	Conosco, señora mía,	
	que soy ciego,	740
	ni también puedo negar	
	que, ciego, sin alegría	
	ardo en fuego.	
FLÉRIDA:	Debes hablar como vistes	
	o vestir como respondes.	745
D. DUARDOS:	Buen vestido	
	no hace ledos los tristes.	
FLÉRIDA:	¡Ojalá tuviesen condes	
	tu sentido!	
	Anda, vete agasajar	750
	con tus padres y hermanos,	
	por los cuales	
	holgaré de te amparar.	
D. DUARDOS:	Beso vuesas altas manos	
	divinales.	755
AMANDRIA:	Vete, con la bendición,	
	a comer cebolla cruda,	
	tu manjar.	
D. DUARDOS:	Quien tiene tanta pasión,	
	todo comer se le muda	760
	en sospirar.	
ARTADA:	El bobo muy bien asenta	

727-728 Dámaso Alonso se pregunta si Gil Vicente hace alusión en este pasaje a unas
         telas granadinas con figuras humanas, a unas alfombras con personajes femeni-
         nos, a bordados o a sargas pintadas por artistas de la región de Granada.
747 *ledos*, 'alegres'.
762 *asenta*, 'asienta'.

sus razones, y dirán
sin letijo,
si lo mira quien lo sienta,   765
que no hizo Julián
aquel hijo.

AMANDRIA: Venida es la noche escura.
Váyase vuesa alteza.

FLÉRIDA: Aquel tal   770
que lamenta su ventura
y exclama su tristeza,
¿de qué mal?

AMANDRIA: Es un modo de hablar
general, que oís decir   775
a amadores,
que a todos veréis quejar
y ninguno veréis morir
por amores.
Julián, sin saber qué es,   780
quiere ordenar también
de quejarse,
y muchos tales verás.
Mas querría ver alguién
que amase.   785
Si alguno al dios Apolo
hiciese adoración
por su dama,
y esto estando solo
y llorando su pasión,   790
éste ama.
Mas delante son Mancías;
en ausencia son olvido.
Y el querer
es amar noches y días,   795
y cuanto menos querido,
más placer.

<hr />

764   *letijo*, 'litigio'.
778   Verso eneasílabo.
784   *alguién*, aguda. Parece lusismo impuesto por la rima.
792   *Mancías*, 'Macías' el enamorado.

(AMANDRIA va diciendo estas cosas, mientras FLÉRIDA y sus damas se van de la huerta. E idas, dice don DUARDOS a JULIÁN:)

D. DUARDOS:	Toda esta noche, señor,	
	me conviene trabajar,	
	que el tesoro	800
	de noche quiere el labor.	
	Yo me voy luego a cavar	
	como moro.	
COSTANZA:	Ora andad con Dios, hermano.	
	Yo quiero cerrar mi puerta	805
	bien cerrada.	
	Las noches son de verano.	
	Aunque durmáis en la huerta,	
	no es nada.	
	¡Oh, señores tres reis magos	810
	que venistes de oriante,	
	por vuesos sanctos milagros,	
	que ayudéis aquel bergante	
	a buscar muchos ducados!	
JULIÁN:	Veníos acostar, señora.	815
	«Soledad tengo de ti,	
	¡oh, tierras donde nascí!»	
COSTANZA:	¡Ay, mi amor, cantalda ahora!	
JULIÁN:	«Soledad tengo de ti,	
(Canta.)	¡oh, tierras donde nascí!»	820
(Hablado.)	¡Bien solía yo mosicar.	
	'n el tiempo que Dios quería!	
COSTANZA:	Como os oyo cantar,	
	llórame ell ánima mía.	
JULIÁN:	Vámonos ora acostar.	825

---

801   *labor*, masculino como en portugués.
810   *reis*, 'reyes'.
811   *oriante*, 'oriente'.
814   Rima imperfecta con *magos* y *milagros*. Gil Vicente ha recurrido a la rima asonante, en contra del modelo generalizado.
816-817   C¹ no indica que estos dos versos son cantados. Sí en Hart. No vemos la necesidad de rectificar Cᶠ. Julián los recita primero y, cuando Costanza le pide que los cante, lo hace así, siguiendo la didascalia del v. 819. La canción está incluida en la *Recopilación de sonetos y villancicos*, de Juan Vásquez (Sevilla, 1560).
821   *mosicar*, 'musicar, hacer música, cantar'.
823   *oyo*, 'oigo'.
825   *ora*, 'ahora'.

(Soliloquio de don DUARDOS.)

D. DUARDOS: ¡Oh, palacio consagrado!
              pues que tienes en tu mano
              tal tesoro,
              debieras de ser labrado
              de otro metal más ufano   830
              que no oro.
              Hubieron de ser robines,
              esmeraldas muy polidas
              tus ventanas,
              pues que pueblan serafines   835
              tus entradas y salidas
              soberanas.
              Yo adoro, diosa mía,
              más que a los dioses sagrados
              tu alteza,   840
              que eres dios de mi alegría,
              criador de mis cuidados
              y tristeza.
              A ti adoro, causadora
              d'este vil oficio triste   845
              que escogí.
              A ti adoro, señora,
              que mi ánima quesiste
              para ti.
              No uses de poderosa   850
              porque diciendo te alabes:
              «yo vencí»;
              ni sepas cuánto hermosa
              eres, que si lo sabes,
              ¡ay de mí!   855
              ¡Oh, primor de las mujeres,
              muestra de su excelencia
              la mayor!
              ¡Oh, señora, por quien eres,
              no niegues la tu clemencia   860
              a mi dolor.

---

832 *Hubieron* es, según Reckert (p. 340), ultracorrección por *hubieran*. Se sustituye
     -on por *-an*, terminaciones que el portugués ya había convertido en *-am; robines,*
     'rubíes'.

Por los ojos p̈iadosos
que te vi 'n este lugar,
tan sentidos,
claríficos y lumbrosos,   865
dos soles para cegar
los nacidos,
que alumbres mi corazón,
¡oh, Flérida, diesa mía!,
de tal suerte   870
que mires la devoción
con que vengo en romería
por la muerte.
Tú duermes, yo me desvelo
y también está dormida   875
mi esperanza.
Yo solo, señora, velo,
sin Dios, sin alma, sin vida
y sin mudanza.
Si el consuelo viene a mí,   880
como a mortal enemigo
le requiero:
«Consuelo, vete d'ahí.
No pierdas tiempo comigo,
ni te quiero.»   885
Esto es ya claro día.
Darles he d'este tesoro,
porque el mío
es Flérida, señora mía,
de cuyo dios yo adoro   890
su poderío.

JULIÁN: Mala noche habéis llevado,
                harto escura, sin lunar.
D. DUARDOS: Y sin placer.
COSTANZA: Vueso almoço está guisado.   895
D. DUARDOS: Trabajar y sospirar
                es mi comer.

---

865 *lumbrosos*, 'que despiden luz'.
869 *diesa*, 'diosa'. *Vid.* v. 133.
886 Lusismo sintáctico, según Hart.
887 *Darles he*, 'les daré'. Vid. v. 484.
893 *lunar*, 'luz de la luna'. Lusismo; *almoço*, 'almuerzo'. Conservamos la grafía por
     ser lusismo.

	Veis aquí lo que saqué	
	aquesta noche primera.	
JULIÁN:	¡Oh, qué cosa!	900
	¡Pardiez, aína diré	
	no es Flérida en su manera	
	tan hermosa.	
D. DUARDOS:	¡Ay, ay!	
JULIÁN:	¿Venís cansado?	
D. DUARDOS:	Mi corazón lo diría	905
	si osase.	
COSTANZA:	¿Comeréis un huevo asado,	
	mi hijo, mi alegría,	
	o qué queréis que os ase?	
D. DUARDOS:	No hablemos en comer.	910
	Dejadme gastar la vida	
	en mi tesoro.	
	Esta copa ha d'haber	
	Flérida, que es descendida	
	de un rey moro.	915
	Esta le viene de herencia	
	de sus agüelos pasados.	
	Cumple a nos	
	dársela por conciencia;	
	y los trecientos ducados	920
	para vos.	
COSTANZA:	¡Oh, mi hijo y mi hermano,	
	mi sancto descanso mío	
	y de mi vida,	
	Dios os trujo a nuestra mano	925
	y fue por él, yo os fío,	
	la venida!	
	Su alteza vendrá ora,	
	que ya acabó de jantar	
	ha buen rato.	930
JULIÁN:	¡Oh, Dios, quién tuviera ahora	

---

902   Así en C². C¹ da *que no es Flérida en su manera*, y sería verso eneasílabo.
909   Verso que, al ser octosílabo y no de pie quebrado, rompe la serie.
917   *agüelos*, 'abuelos'.
920   *trecientos*, 'trescientos'.
925   *trujo*, 'trajo'.
928   *ora*, 'ahora'.
929   *jantar*, 'yantar, comer'. Lusismo.

	para os agasajar un buen pato!	
COSTANZA:	Andad acá, hijos míos, y pornemos en recaudo lo que hallamos.	935
	¡Dios sabe ora cuán vacíos y sin blanca ni cornado nos hallamos!	
	Vamos, hijo, a la posada y descansaréis, siquiera, de la noche mala que habéis llevada.	940
	No faltará una estera en que os eche.	945

(Vienen FLÉRIDA, ARTADA, AMANDRIA, a la huerta, y dice FLÉRIDA:)

FLÉRIDA:	¡Jesús! ¿qué cosa es ésta? No hacen hoy labor, ni ayer.	
ARTADA:	Terná ochavas la fiesta de su hijo y su amor, con placer.	950
FLÉRIDA:	Amandria, ¡por vida vuestra!, que lo busquéis, y llamaldo.	
AMANDRIA:	Sí, señora.	
FLÉRIDA:	Y si os hiciere muestra de poca gana, dejaldo por ahora.	955
AMANDRIA:	Dice la señora ifanta que holgara de te ver trabajar.	960
D. DUARDOS:	No será su gana tanta cuanto será mi placer de la agradar.	
AMANDRIA:	¿Sabes sembrar toda suerte?	

937 *ora,* 'ahora'.
942 La rima de *noche* con *eche* es imperfecta.
949 *ochavas,* 'octavas'.
953 *llamaldo,* 'llamad'.
956 *dejaldo,* 'dejadlo'.

157

D. DUARDOS:	Señora, soy singular
	hortelano,
	mas esta tierra es tan fuerte,
	que pienso que el trabajar
	será en vano.
	Cavaré de corazón
	y regaré con mis ojos
	lo sembrado.
	No cansará mi pasión,
	porque mis tristes enojos
	son de grado.
AMANDRIA:	Señora, por mi salud,
	que yo no puedo entender
	hombre tal.
D. DUARDOS:	¡Oh, triste mi juventud,
	tú veniste a mi poder
	por mi mal.
FLÉRIDA:	¿De qué te quejas?
D. DUARDOS:	De Dios,
	porque no nos hizo iguales
	los nacidos
	y, sin mancilla de nos,
	nos dio ojos corporales
	y sentidos.
	Los ojos para mirar,
	sentir para conocer
	lo mejor,
	alma para desear,
	corazón para querer
	su dolor.
FLÉRIDA:	¿Sabes ler y escrebir?
D. DUARDOS:	Señora, no soy acordado
	si lo sé.
FLÉRIDA:	¿Haste de tornar a ir?
D. DUARDOS:	Si me prendió mi cuidado.
	¿a dó me iré?
COSTANZA:	Señora, hace gran siesta.
	Coma vuesa alteza d'esta
	fruta mía,

965

970

975

980

985

990

995

1000

975 El verso falta en C¹. Así en C².
994 *ler,* 'leer', y *escrebir,* 'escribir'. Lusismos.
1000 *siesta,* 'calor de las primeras horas de la tarde'.

	pues le place con mi fiesta.	
FLÉRIDA:	Amandria, hacedme presta	
	agua fría.	1005

(Traen agua a FLÉRIDA en la copa encantada, y, primero, dice AMANDRIA cuando la ve:)

AMANDRIA:	¡Qué copa tan singular!	
	¿Vuesa es ésta?	
COSTANZA:	Sí, señora,	
	rosa mía.	
AMANDRIA:	¡Dios os la deje lograr!	
COSTANZA:	Mi hijo la trujo ahora	1010
	de Turquía.	
FLÉRIDA:	¡Oh, qué copa tan hermosa!	
	Tal joya, ¿cúya será?	
D. DUARDOS:	Vuesa, señora,	
	Y no es tan preciosa	1015
	como es la voluntad	
	que la dora.	
FLÉRIDA:	¿Dónde la hubiste, Julián?	
D. DUARDOS:	En unas luchas reales	
	la gané.	1020
FLÉRIDA:	Quiérola, y pagártela han.	
D. DUARDOS:	¡Si fuesen pagas iguales	
	a mi fe!	

(Después de beber FLÉRIDA, dice:)

FLÉRIDA:	¡Oh, qué agua tan sabrosa!	
	Toda se m'aposentó	1025
	'n el corazón.	
	Y la copa, ¡muy graciosa!	
	¡Oh, Dios libre a quien la dio	
	de pasión!	
D. DUARDOS:	Voy, señora, a trabajar,	1030
	Dios sabe cuán trabajado.	
FLÉRIDA:	Mucho mejor empleado	

1004 *hacedme presta*, 'preparadme'.
1010 *trujo*, 'trajo'.
1017 *dora*, 'adora'.
1021 *pagártela han*, 'te la pagarán'. *Vid.* v. 484.

te debieras emplear.
Tu figura,
en tal hábito y tonsura,   1035
causa pesar en te viendo.

D. DUARDOS: Pues aún quedo debiendo
loores a la ventura.

FLÉRIDA: ¿No fuera mejor que fueras,
a lo menos, escudero?   1040

D. DUARDOS: ¡Oh, señora!, ansí me quiero:
hombre de bajas maneras;
que el estado
no es bienaventurado,
que el precio está en la persona.   1045

ARTADA: Señora, es hora de nona
y de os ir a vueso estrado.

FLÉRIDA: Quédate adiós, Julián.

D. DUARDOS: Yo, señora, no me quedo.
También vo.   1050
Los cuidados quedarán,
pero yo quedar no puedo.
Tal estó.

FLÉRIDA: ¿Adónde te quieres ir?
No te vayas, por tu vida.   1055
Tien sosiego.
Y si te habias de partir,
¿para qué era tu venida
y irte luego?
Si Julián se partiese   1060
por causa de nuestra vieja,
pesarm'hía
como si mucho perdiese.

ARTADA: Si comigo se aconseja,
no se iría.   1065

(Después de idas, dice JULIÁN a don DUARDOS:)

JULIÁN: ¿Queréis ora que os diga?

1046 *nona*, 'las tres de la tarde'.
1050 *vo*, 'voy'.
1053 *estó*, 'estoy'.
1056 *tien*, 'tiene'.
1062 *pesarm'hía*, 'me pesaría'. *Vid.* v. 484.

160

                    Hermano, muy bien haréis
                    que esta noche no cavéis
                    ni os deis tanta fatiga.
                    Cenaremos   1070
                    y, antes que nos echemos,
                    tomaremos colación.
D. DUARDOS: Ni yo ni mi corazón
                    no cumple que reposemos.
                    Hora es que os acojáis.   1075
                    Voy a cavar mi riqueza,
                    no que descubra tristeza
                    los secretos de mis ays.

(Soliloquio segundo de don DUARDOS.)

                    ¡Oh, floresta de dolores,
                    árbores dulces, floridos,   1080
                    inmortales,
                    secárades vuesas flores
                    si tuviérades sentidos
                    humanales!
                    Que partiéndose d'aquí   1085
                    quien hace tan soberana
                    mi tristura,
                    vos, de mancilla de mí,
                    estuviérades mañana
                    sin verdura.   1090
                    Pues, acuérdesete, Amor,
                    que recuerdes mi señora
                    que se acuerde
                    que no duerme mi dolor,
                    ni soledad sola una hora   1095
                    se me pierde.
                    Amor, Amor, más te pido:
                    que cuando ya bien despierta
                    la verás,
                    que le digas al oído: 1100
                    «Señora, la vuesa huerta...»,
                    y no más.

1078 *ays*, 'ayes'. Lusismo.
1080 *árbores*, 'árboles'. Lusismo.

Porque, Amor, yo quiero ver,
pues que dios eres llamado
divinal,   1105
si tu divinal poder
hará subir en borcado
este sayal,
que, para seres loado,
a milagros te esperamos,   1110
que lo igual
ya sen ti se está acabado.
Por lo imposible andamos,
no por ál.
Alborada, a ti adoro.   1115
¡Oh, mañana, a ti loamos
de alegría!
Quiero llevar más tesoro
y contentar a mis amos,
que es de día.   1120

*(Vase don DUARDOS, y viene FLÉRIDA descubriendo a ARTADA el
amor que tiene a don DUARDOS, sin saber que era aquél, y dice:)*

FLÉRIDA: ¡Oh, Artada, mi amiga,
                llave de mi corazón!
                Tal me hallo
                que no sé cómo os diga
                ni calle tanta pasión   1125
                como callo.
                Deciros quiero mi vida.
                No que de tal desvarío
                digo nada,
                mas es una alma perdida   1130
                que habla en el cuerpo mío,
                ya finada.
                Bien os podéis santiguar
                de mí, que soy atentada
                del amor,   1135
                y amor en tal lugar

1107 *borcado,* 'brocado'. Lusismo.
1109 *seres,* 'ser'. Infinitivo conjugado. *Vid.* v. 448.
1112 *sen ti,* 'sin ti'. Lusismo o errata en C¹.
1114 *ál,* 'otra cosa'.

que no oso decir nada
de dolor.
Esconjuradme y sabréis
de esta ánima que os digo   1140
ya defunta,
quién era y de cúya es.
Dirá que del enemigo
toda yunta.

ARTADA: No entiendo a vuesa alteza.   1145
FLÉRIDA: Ni yo quisiera entender
            a Julián.
ARTADA: ¡Jesús!, y vuesa grandeza,
            vueso imperio y merecer,
            ¿qué le dirán?   1150
FLÉRIDA: Mas ¿qué haré?
ARTADA: ¿Qué haréis?
            Tenéis príncipe en Hungría
            y en Francia,
            que vos muy bien merecéis,
            y príncipe en Normandía,   1155
            que es ganancia.
            Tenéis príncipe en romanos,
            don Duardos en Inglaterra,
            gran señor,
            y todos en vuestras manos.   1160
FLÉRIDA: Julián me da la guerra
            por amor.
            Esta noche lo aseché
            y dijo que es caballero,
            y no hortelano.   1165
            Sabed d'él, por vuestra fe,
            qué hombre es, que crer no quiero
            que es villano.

(Viene AMANDRIA con las doncellas músicas, y dice:)

AMANDRIA: La emperatriz, señora,

1139 *Esconjuradme*, 'exorcizadme'.
1144 *yunta*, 'junta'.
1157 *en*. C² corrige *de*, que parece más lógico, aunque deja el verso con una sílaba
      de más. Es probable errata.
1167 *crer*, 'creer'.

	vuesa madre, va a cazar.	1170
	Envíaos a preguntar	
	se iréis cazar ahora	
	o si holgáis más 'n el pomar.	
FLÉRIDA:	No es razón,	
	que está en muda mi halcón	1175
	y el azor desvelado,	
	y, más, ido el mi amado	
	hermano Primaleón.	

(Viene COSTANZA ROIZ y dice, llorando, a FÉRIDA:)

COSTANZA:	¿Ha hí azúcar rosado,	
	señora, en vuesa casa?	1180
FLÉRIDA:	¿Para qué?	
COSTANZA:	Mi hijo está maltratado,	
	qu'el corazón se le abrasa.	
FLÉRIDA:	No lo sé.	
COSTANZA:	Dos veces se ha amortecido	1185
ARTADA:	¡Si lo apalpa la tierra...!	
AMANDRIA:	Quien guardó ganado en sierra,	
	en el poblado es perdido.	
COSTANZA:	Es mi hijo muy sesudo,	
	nueso Señor me lo guarde.	1190
	Sospira de tarde en tarde,	
	pero quéjase a menudo,	
	qu'el ánima se le arde.	
FLÉRIDA:	¿Qué será?	
COSTANZA:	Señora, no sé qué ha.	1195
	Sus lágrimas son iguales	
	a perlas orïentales:	
	tan gruesas salen d'allá.	

(Viene don DUARDOS con su azada, y dice:)

D. DUARDOS:	Madre, ¿dónde iré cavar?	
	Que no puedo estar parado	1200
	ni sosiego.	

1172 *se*, 'si'. Lusismo. *Vid.* v. 594.
1179 *Ha hí*, 'hay'.
1186 *apalpa*, 'molesta'. Lusismo.
1195 *ha*, 'tiene'.

164

	No se entienda descansar	
	en mí, porque, descansando,	
	muero luego.	
COSTANZA:	Mas dejad, hijo, la azada	1205
	y mirad estas doncellas	
	que aquí veis.	
	Requebraos con Artada	
	y hablad con todas ellas,	
	y holgaréis.	1210
FLÉRIDA:	Vamos pasar los calores	
	debajo del naranjal.	
D. DUARDOS:	Señora, ahí es natural:	
	caerá flor en las flores.	
FLÉRIDA:	¿De manera	1215
	que siempre tienes ligera	
	la respuesta enamorada?	
	¿No os digo yo, Artada,	
	que va honda esta ribera?	
ARTADA:	Señora, yo estó espantada.	1220
FLÉRIDA:	Tañed vuesos instrumentos,	
	que pensativa me siento,	
	y de un solo pensamiento	
	nacen muchos pensamientos	
	sin ningún contentamiento.	1225
	Yo sospecho,	
	en el centro de mi pecho,	
	y mi corazón sospecha	
	que esta cosa va derecha	
	para yo perder derecho.	1230

(Tocan las damas sus instrumentos, y dice ARTADA:)

ARTADA:	Señora, ¿qué cantaremos?	
FLÉRIDA:	Julián lo dirá presto.	
D. DUARDOS:	Señoras, cantad aquesto:	
	«¡Oh, mi pasión dolorosa,	
	aunque penes, no te quejes,	1235
	ni te acabes ni me dejes.	
	Dos mil sospiros envío	
	y doblados pensamientos,	

1220 *estó*, 'estoy'.

165

                    que me trayan más tromentos
                    al triste corazón mío.   1240
                    Pues amor, que es señorío,
                    te manda que no me dejes,
                    no te acabes ni te quejes!»
FLÉRIDA: Mas cantad esta canción:
                    «Quien pone su afición   1245
                    do ningún remedio espera,
                    no se aqueje porque muera.»
D. DUARDOS: Mas podéis muy bien cantar:
                    «Aunque no espero gozar
                    galardón de mi servir,   1250
                    no me entiendo arrepentir.»

(Cantan esta cantiga y, acabada, dice don DUARDOS:)

                    No más, por amor de Dios,
                    que yo me siento expirar.
                    ¡Oh, señoras,
                    quién fuese esclavo de vos!   1255
ARTADA: Señora, para más holgar
                    no son horas.
AMANDRIA: La música debe ser
                    su madre de la tristura.
FLÉRIDA: ¡Oh, cuitada,   1260
                    quién me tornase a nascer,
                    pues me tiene la ventura
                    condenada!
                    Holgara de oír cantar:
                    «Si eres para librar   1265
                    mi corazón de fatigas,
                    ¡ay, por Dios, tú me lo digas!»
D. DUARDOS: Por deshecha cantarán:
                    «El galgo y el gavilán
                    no se matan por la prea,   1270

1239   *trayan*, 'traigan'; *tromentos*, 'tormentos'.
1245-1247, 1249-1251 y 1265-1267 Las tres canciones están en el *Cancionero musical*,
       de Asenjo Barbieri (Madrid, 1890), y llevan los números 167, 216 y 128, respec-
       tivamente.
1247   *aqueje*, 'queje'.
1256   Verso encasílabo.
1268   *deshecha*, 'cierto género de cancioncita final de una composición poética'.
1270   *prea*, 'presa'.

	sino porque es su ralea.»	
FLÉRIDA:	¡Adiós, adiós, Julián!	
	Esta huerta t'encomiendo,	
	por tu fe.	
D. DUARDOS:	Mis ojos la mirarán,	1275
	mas sospirando y gemiendo	
	la veré.	

(Yéndose FLÉRIDA con sus damas, llorando, dice ARTADA:)

ARTADA:	¿Cómo vais ansí, señora?	
FLÉRIDA:	No sé. Llóranme los ojos	
	de contino.	1280
	Y también mi alma llora	
	y son tantos mis enojos	
	que me fino.	

(Viendo don DUARDOS la pena de FLÉRIDA, dice:)

D. DUARDOS:	¡Oh, mi ansia peligrosa,	
	dolor que no tiene medio,	1285
	pues busqué	
	medicina provechosa	
	y, con el mismo remedio,	
	me maté!	
	Que si Flérida es herida	1290
	de tal dolor como yo,	
	tan extraño,	
	¡oh, cuitada de mi vida!,	
	mi corazón, ¿qué ganó	
	en tal daño?	1295
	¡Oh, Olimba, ¿qué hiciste?	
	que para remediarme	
	de mil suertes,	
	heciste a Flérida triste.	
	Y verla triste es matarme	1300
	de mil muertes.	
	La copa me echó en medio	
	de un placer que me desplace	
	y descontenta.	

1285   *que tiene* en C¹. Así en C².

Pues ahora, ¿qué remedio?,   1305
que lo que me satisface
me atromenta.
¡Oh, preciosa diesa mía!
Yo confieso que pequé,
señora, a ti,   1310
y por eso ell alegría
del remedio que busqué
es contra mí.
Conozco que fue traición.
Perdona, rosa del mundo,   1315
al que pecó,
porque fue mi corazón,
que, con gran querer profundo,
te erró.

(Viene JULIÁN a visitar a don DUARDOS, y viene cantando:)

JULIÁN: «Este es el calbi ora bi,   1320
               el calbi sol fa mellorado.»
D. DUARDOS: ¡Quién tuviese el tu cuidado
               y no del triste de mí!
JULIÁN: ¿Cómo os va, bon amí?
D. DUARDOS: Cansado.   1325
JULIÁN: Parece que habéis llorado.
D. DUARDOS: Nunca tan triste me vi.
               No me hallo en esta tierra.
               Y este tesoro me tiene.
               Este sólo me da guerra,   1330
               que, cuando andaba en la sierra,
               hacía vida solene.
JULIÁN: Pues debéisos d'avezar
               a vivir entre la gente,
               y será bien de os casar   1335
               en este nuestro lugar
               con una moza valliente.
               Quiéroos dar

1307 *atromenta,* 'atormenta'.
1308 *diesa,* 'diosa'. *Vid.* v. 133.
1320-1321 Fragmento de canción árabe. *Vid.* la nota correspondiente de Dámaso
           Alonso.
1324 *bon ami,* 'buen amigo'. Forma francesa.
1337 *valliente,* 'valiente'.

168

moza que tiene un telar
y arquibanco de pino,   1340
afuera que ha de heredar
una burra, y un pumar,
y un mulato y un molino.
No os burléis, hermano, vos,
que la pide un calcetero   1345
y un curtidor o dos,
y por aquí placerá a Dios
que saldréis de ser vaquero.
Es moza baja, doblada.
Es morena, pretellona,   1350
graciosa, tan salada
que no la mira persona
que no quede enamorada.
Es muchacha que habrá
treinta años que tiene muelas   1355
y, según holgada está,
a la voluntad me da
que excusadas son espuelas.
Júroos, hermano mío,
que os viene Dios a ver,   1360
que, aunque el padre fue judío,
y su padre y su nació,
tiene muy bien de comer.
Sí, por Dios, que no os miento.

D. DUARDOS: Ios, Julián, amigo.   1365
                 No habléis cosas de viento,
                 qu'el cansado pensamiento
                 harto mal tiene consigo.

JULIÁN: ¡Costanza Roiz, amor mío!
                 ¡Ah, señora, vida mía!   1370

COSTANZA: ¿Qué me queréis, señor mío?

JULIÁN: Que sin vuesa compañía
                 no tengo placer ni brío.
                 Estoyle diciendo yo
                 que case con Grimanesa,   1375
                 pues que tanto bien halló

1342 *pumar*, 'pomar'.
1347 Verso encasílabo.
1350 *pretellona*, 'muy morena'. Lusismo.
1362 *nació*, 'linaje'.

	y para nos lo cavó,	
	que le demos buena empresa.	
COSTANZA:	Si la moza no rehúsa,	
	buen casamiento sería,	1380
	mas es una garatusa	
	que de mil otros se excusa	
	que la piden cadaldía.	
D. DUARDOS:	Fortuna, duélete de mí	
	y hace cuenta comigo.	1385
	No cobres fama por mí	
	de cruel, porque está aquí	
	el mi cruel enemigo.	
	¿Ahora vienes con esto	
	cuando yo la muerte pido?	1390
	¡Oh, mi dios, señor Copido,	
	loado seas por esto,	
	que a tal punto me has traído!	
JULIÁN:	¿Qué decís?	
D. DUARDOS:	Yo m'entiendo.	
JULIÁN:	¡Anda hombre por honraros,	1395
	y ampararos y obrigaros,	
	y aun vos estáis gruñiendo!	
	Por vida d'esta mi amada,	
	que es la moza (¡y qué tal	
	moza!) machuela y doblada,	1400
	pescoço cuerto, amasada,	
	salada como la sal,	
	los dedos tuertos y gruesos,	
	crespa la ceja, y babosa,	
	pretellona y graciosa.	1405

1381 *garatusa*, 'dengosa, melindrosa', mejor que 'trapecera', la segunda suposición de Dámaso Alonso.
1383 *cadaldía*, 'cada día'.
1384 Verso eneasílabo.
1385 *hace*, 'haz'. Lusismo.
1391 *Copido*, 'Cupido'.
1396 *obrigaros*, 'obligaros', de *obligar*, 'ganar la voluntad e uno con beneficios u obsequios'.
1397 *gruñiendo*, 'gruñiendo'.
1400 *machuela*, 'marimacho'.
1401 *pescoço*, 'pescuezo'. Conservamos la grafía, por tratarse de un lusismo, de autor o de impresor; *amasada*, 'achatada'. Lusismo.
1402-1447 Los cuarenta y cinco versos que siguen no están en C[1]. Los tomamos de C[2]. Las razones de Reckert (p. 391) parecen convincentes. No los conserva la edición de Hart, lo cual modifica la numeración de los versos.
1405 *pretellona*, 'muy morena'. Lusismo.

	¡Juro a tal, que hasta los huesos	
	es buena para la cosa!	
	¡Grimanesa!	
GRIMANESA:	¡Hola!	
JULIÁN:	Ven acá.	
GRIMANESA:	Heis me aquí. ¿Qué me queréis?	
JULIÁN:	He aquí la moza do está.	1410
	Esta creo que será	
	buena para ya sabéis.	
COSTANZA:	¿Queréis casar, hija mía,	
	con este nuestro criado?	
GRIMANESA:	Con éste, sí casaría.	1415
D. DUARDOS:	¡Cómo tardas, alegría!	
	¡Cuán presto vienes, cuidado!	
GRIMANESA:	¡Y un hombre tan hermoso!	
	Pues tirado este sayal,	
	es él para ser esposo	1420
	de Artada. ¿Estáis donoso?	
	¡No casa así hombre tal!	
JULIÁN:	Mirad, vos sois extranjero.	
	La moza, no descuidada,	
	bien quista y aparentada.	1425
	Tiene un asno y un sendero.	
	Trataréis en membrillada.	
COSTANZA:	Si bien quisieres casar,	
	estímate, Grimanesa.	
	¿Quién te manda a ti abajar?	1430
GRIMANESA:	Mas ¿qué aprovecha alterar	
	para tal cosa como ésa?	
D. DUARDOS:	El que casa, ha de casar	
	con tan sobrado placer	
	como yo tengo pesar.	1435
	No hago sino cavar.	
	Escondéseme el haber.	
	No tengo de tomar mujer	
	hasta que el tesoro mío	
	no lo tenga en mi poder.	1440
	Entonces el mi querer	

1419   *tirado*, 'quitado'.
1427   'tendréis un trato dulce como el membrillo' (?).
1430   *abajar*, 'bajar'.
1438   Verso eneasílabo.

	mostrará gran poderío.	
	Andad, por Dios, en buena hora.	
	Ios, dejadme cavar.	
	No desprecio esta señora,	1445
	mas no puedo, por agora,	
	ni casar ni descansar.	
JULIÁN:	¿Y vos aún rehusáis	
	de casar con Grimanesa?	
	¡Oh, qué moza allí dejáis!	1450
D. DUARDOS:	Ruégoos mucho que os vais.	
	Iré proseguir mi empresa.	

(Sepárase don DUARDOS de los hortelanos. Y porque la princesa FLÉRIDA, queriéndose apartar de esta conversación, temiendo el mal que se le podía seguir, determinó no venir a la huerta. En este tercer soliloquio, don DUARDOS dice lo que sigue:)

	Tres días ha que no viene.	
	Guisándome está la muerte	
	mi señora.	1455
	Señora, ¿quién te detiene?	
	No sé cómo estoy sin verte	
	sola una hora.	
	Pues de darme eres servida	
	despiadosa batalla	1460
	y triste guerra,	
	y mi paz está perdida,	
	¡Muerte, llévame a buscalla	
	so la tierra!	
	Que, cuando Amor me prendió,	1465
	dijo: «Presto has de morir	
	por justicia.»	
	Luego me sentenció.	
	Y alüéngame el vivir	
	con malicia.	1470
	Dios de amor, ¿no te contentas	
	que te quiero dar la vida	
	'n este día,	

1451 *vais,* 'vayáis'.
1460 *despiadosa,* 'despiadada'.
1469 *aluéngame,* 'me alarga'.

la misma que tú atromentas?
¡Sácame la dolorida   1475
alma mía!
¿Qué más quiere? ¡Oh, huerta,
deseo verte arrancada
donde estó!
Que ma tu cierca y tu puerta,   1480
pues estás tan olvidada
como yo.
Tu diesa, ¿por qué no viene
ver qu'este suyo se va
al infierno,   1485
onde por su amor pene
y la gloria será,
que es eterno?

(Apretando el amor a la princesa FLÉRIDA y no pudiendo cumplir el
decreto que en sí misma puso, manda primero a ARTADA. Y viéndola
don DUARDOS venir, dice entre sí:)

Aquí do viene Artada.
Del mal, lo menos es bueno.   1490
Ya siquiera
mi ánima atribulada
dirá el mal de que peno
y la manera.
Que no puede ser tan cruda   1495
la doncella bien criada
per nivel,
que no sea más sesuda,
más secreta y más callada
que cruel.   1500

ARTADA: Costanza Roiz, ¿qu'es d'ella?
D. DUARDOS: Señora, ¿qué la queréis?

1474   *atromentas*, 'atormentas'.
1479   *estó*, 'estoy'.
1480   *cierca*, 'cerca'.
1486   *onde*, 'donde'; *su*, así en Hart, que corrige lo que parece error de C¹.
1487   Verso heptasílabo.
1495   *cruda*, 'cruel'.
1496   *la doncella es bien criada*, en C¹. Seguimos la enmienda propuesta por Alonso y
       Hart.
1497   *per nivel*, 'perfectamente, sin defecto'.

173

ARTADA:	Quiero rosas.
D. DUARDOS:	Yo las cogeré sin ella.
	¿De mí no las tomaréis? 1505
ARTADA:	¡Cuántas cosas!
	¿Queréisme hacer entender
	quién sois y lo que buscáis
	por aquí?
D. DUARDOS:	Y la que os manda eso saber, 1510
	¿por qué no le preguntáis
	qué es de mí?
	¿Y por qué se ausentó
	de dar vista al triste ciego
	extranjero 1515
	que su alteza cegó.
	Y ciego caí en el fuego
	en que muero.
	¿No hay más piedad ni ley
	que matarme en tierras extrañas 1520
	sin ventura?
	¡Oh, Flérida, *memento mei*,
	que se gastan mis entrañas
	con tristura!
ARTADA:	¿Cómo señora tan alta 1525
	cabe en vueso corazón?
D. DUARDOS:	'n ell alma está
	toda, sin ninguna falta.
	Y en ell alma, la pasión
	que me da. 1530
	Porque el triste corazón
	está ocupado con fuego
	y con fe,
	con sospiros, con razón,
	con amores, con ser ciego. 1535
	Y esto sé.
	Pues, ¿dó cabrá mi alegría?
	¡Oh, mis dolores profundos!
	¡Ay de mí!
	¿Qué haré, soledad mía? 1540
	¡Oh, señora de mil mundos!
	¿Qué es de ti?

1520   Verso eneasílabo.
1522   'acuérdate de mí'.

174

ARTADA:	Algo debéis descansar
	en hablardes con Artada,
	su querida. 1545
D. DUARDOS:	¿Por qué no viene a holgar
	ha tres días?
ARTADA:	De anojada
	y arrepentida.
	Llorando le oí decir
	que ha de mandar quemar 1550
	luego la huerta.
	Y no ha aquí de venir
	a ver si puede olvidar
	esta puerta.
D. DUARDOS:	¿No verná, por vuesa fe? 1555
ARTADA:	No, hasta ser sabidora
	quién sois vos.
D. DUARDOS:	Señora, esso ¿para qué?
	Soy suyo. Ella es mi señora
	y mi dios. 1560
ARTADA:	Ya Flérida es sabedor
	que sois grande caballero
	y, más, barrunta
	que seréis grande señor.
D. DUARDOS:	Quien tiene amor verdadero 1565
	no pregunta
	ni por alto, ni por bajo,
	ni igual, ni mediano.
	Sepa, pues,
	que el amor que aquí me trajo, 1570
	aunque yo fuese villano,
	él no lo es.
ARTADA:	¿Eso queréis vos que baste
	para tan alta princesa
	y de tal ley? 1575
	Antes que más ruegos gaste,
	descobrid a aquella diesa
	si sois rey.

1544 *hablardes*, 'hablar'. Infinitivo conjugado. *Vid.* v. 448.
1547 *anojada*, 'enojada'.
1561 *sabedor*, 'sabedora'. Sobre *-or* femenino, *vid.* Dámaso Alonso, v. 1512.
1566 *pregunta*, 'pregunta'. Forma frecuente en el teatro primitivo castellano.
1577 *diesa*, 'diosa'. *Vid.* v. 133.

D. DUARDOS:	¿Qué merced me haría ella
	si yo fuese su igual
	sin más glosa?
	Flanqueza se espera d'ella,
	como diesa imperial,
	milagrosa.
	¿Para hacer merced se vela,
	para piedad se atalaya
	tal señora?
	¿Para qué busca cautela
	con el triste que desmaya
	cada hora?
	¿Y por qué, señora, me deshace,
	si piensa ser yo el señor
	que decís vos?
	Si no, ¿por qué no me hace
	de nadia, por su loor,
	pues es dios?
	Que si me pone en olvido
	por nascer bajo vasallo,
	y no señor,
	será «correr al corrido»
	y «al moro muerto, matallo»,
	que es peor.
ARTADA:	El dïablo os trujo acá,
	que esas palabras no son
	de villano.
	No sé por qué os queda allá
	quién sois 'n ese corazón
	inhumano.
	Voyme, y no sé qué diga.
D. DUARDOS:	Decid que no sé quién so,
	ni qué digo,
	ni qué haga, ni qué siga;
	ni sé si soy hombre yo,

1580

1585

1590

1595

1600

1605

1610

1581 *glosa*, 'explicación, comentario'.
1582 *flanqueza*, 'franqueza'. C¹ da *flanqueza se es perdella*. Seguimos la corrección de
C², propuesta por Alonso y Hart.
1583 *diesa*, 'diosa'. *Vid.* v. 133.
1595 *nadia*, 'nada'. Según Teyssier (p. 396) es forma frecuente entre los escritores
portugueses que usaron el castellano en sus obras.
1603 *trujo*, 'trajo'.
1610 *so*, 'soy'.

176

ni estoy comigo.

Decilde que no tengo nombre,   1615
que el suyo me lo ha quitado
y consumido.

Y decid que no soy hombre,
y si hombre, desventurado
y destroído.   1620

Soy quien anda y no se muda;
soy quien calla y siempre grita
sin sosiego;
soy quien vive en muerte cruda;
soy quien arde y no se quita   1625
de su fuego.

Soy quien corre y está en cadena;
soy quien vuela y no s'aleja
del amor;
soy quien placer ha por pena;   1630
soy quien pena y no se aqueja
del dolor.

Y decilde que, si soy rey,
sospiros son mis reinados
triunfales,   1635
y si soy de baja ley,
basta seren mis cuidados
muy reales.

ARTADA: ¡El dïablo que lo lleve!
               ¡Al dïablo que lo doy   1640
               tan dulce hombre!
               El que a tanto s'atreve,
               alto es, si en mí estoy,
               el su nombre.
               Tengo de contar arreo   1645
               a Flérida su pasión d'él
               que encobría.
               Y lo que dice le creo.

1615   Verso eneasílabo; *decilde*, 'decidle'.
1624   *cruda*, 'cruel'.
1627   Verso eneasílabo.
1630   *ha*, 'tiene'.
1631   *aqueja*, 'queja'.
1633   Verso eneasílabo. *Vid.*, sobre el tema, Reckert, pg. 408; *decilde*, 'decidle'.
1636   *seren*, 'ser'. Infinitivo conjugado. *Vid.* v. 448.
1645   *arreo*, 'sin interrupción, inmediatamente'.

177

Ella no lo ha de crer
todavía.   1650

(Llega donde está FLÉRIDA, y dice:)

Señora, con este termo
que hizo en apartarse
de la huerta,
Julián, de amor enfermo,
determinó declararse,   1655
y vengo muerta.
Cuanto habló se redunda
que por vos es hortelano
y no reposa.

FLÉRIDA: Yo no sé en qué se funda.   1660

ARTADA: Señora, no es villano,
mas gran cosa.

FLÉRIDA: ¡Oh, triste! Dijéraos ora
quién es, porque, esto sabido,
terná medio.   1665

ARTADA: No dice más, mi señora,
sino que es hombre perdido
sin remedio.
Mas, señora, vaya allá
sola vuesa señoría   1670
y espere
si se le declarará,
o con qué nueva osadía
la requiere.

FLÉRIDA: Si yo hallo que de hecho   1675
me habla claros amores,
yo me fundo
que es ansí como sospecho
ser príncipe de los mayores
que hay en el mundo.   1680

(Entrando FLÉRIDA sola por el pomar de la huerta, va diciendo:)

¡Cuán alegres y contentos
estos árboles están!
En esto veo

1649   *crer*, 'creer'.
1651   *termo*, 'término'. Lusismo.

178

```
                    que no son graves tromentos
                    los que sufre Julïán                          1685
                    con deseo:
                    que, en la cámara a do estó,
                    veo llorar las figuras
                    de los paños
                    del dolor que siento yo,                       1690
                    y aquí crecen las verduras
                    con los daños.
                    Y mis jardines, tejidos
                    con seda de oro tirado,
                    se amustiaron,                                 1695
                    porque mis tristes gemidos,
                    teñidos de mi cuidado,
                    los tocaron.
                    Y yo veo aquí las flores
                    y las aguas perenales                          1700
                    y lo ál,
                    tan ajenas de dolores
                    como yo llena de males
                    por mi mal.
D. DUARDOS:         No sé qué viene hablando                       1705
                    la mayor diesa del cielo
                    entre sí.
                    Si mal me viene rogando,
                    ya los males son consuelo
                    para mí.                                       1710
                    Si ruego a Dios que me dé muerte,
                    nadie tiene en mí poder,
                    sino ella.
                    Y dichosa fue mi suerte,
                    pues muerte no puede haber,                    1715
                    sino d'ella.
FLÉRIDA:            Julián, ve tu ahora
                    y cógeme una manzana.
D. DUARDOS:         Lo que yo digo:
                    discordia queréis, señora.                     1720
```

1684 *tromentos*, 'tormentos'.
1687 *a do estó*, 'donde estoy'.
1700 *perenales*, 'perennes, eternas'.
1701 *lo ál*, 'lo demás'.
1706 *diesa*, 'diosa'. *Vid.* v. 133.
1711 Verso eneasílabo.

	¡Oh, mi guerrera troyana!	
	¡Paz comigo!	
	La manzana que queréis,	
	aunque vos la merecistes,	
	vida mía,	1725
	es discordia que traéis,	
	con que ya me despedistes	
	d'alegría.	
FLÉRIDA:	¿Qué hablas? ¿Estás dormiendo?	
	¿Sueñas en la Troya ahora?	1730
D. DUARDOS:	Mas despierto	
	el sueño de vueso olvido,	
	con que estos días, señora,	
	me habéis muerto.	
FLÉRIDA:	Se supiese bien de cierto	1735
	qu'eso me dices velando,	
	matarm'hía.	
D. DUARDOS:	Yo no hago desconcierto	
	en andaros contemplando	
	noche y día.	1740
	Diesa mía, no pequé	
	en adoraros, señora,	
	la hermosura.	
	¿Cómo contra ley ni fe	
	va aquel que os adora	1745
	por ventura?	
	¿Adónde estuvo escondida	
	vuesa alteza, pues que sabe	
	mi pasión?,	
	que pïedad merecida	1750
	en tales señoras cabe,	
	de razón.	
FLÉRIDA:	Pïedad tengo de ti,	
	que tu mal para sanar	
	no hay cura.	1755
D. DUARDOS:	¿Por qué, señora?	
FLÉRIDA:	Porque oí	

1729 *dormiendo,* 'durmiendo'. La rima exigiría *dormido.*
1735 *se,* 'si'. Lusismo. *Vid.* v. 594.
1737 'me mataría'. *Vid.* v. 484.
1741 *diesa,* 'diosa'. *Vid.* v. 133.

que no se puede curar
la locura.

D. DUARDOS: Pues ¿qué haré, perdido el seso,
sin tener en tierra ajena   1760
cura en mí?
Pues pesad en justo peso,
que por vos, reina serena,
lo perdí.
Y perdí ell ánima mía,   1765
si de perder yo ventura
sois servida.
Perdí de ser quien solía
por la mayor hermosura
d'esta vida.   1770

FLÉRIDA: ¿Quién solías tú de ser.

D. DUARDOS: De mozo guardé ganado
y araba.
Esto sé yo bien hacer.
Después dejé el arado   1775
y trasquilaba.
Después estuve a soldada
y acarreaba harina
de un molino.

FLÉRIDA: Paréceme a mí, Artada,   1780
que este caso no camina
buen camino.

D. DUARDOS: Ya lo veo, alma mía,
que es camino de dolor
y de pesar.   1785

FLÉRIDA: ¿Adónde hallaste osadía?

D. DUARDOS: En el templo del Amor, sobre el altar.

FLÉRIDA: Luego bien sospecho yo
que no llega ahí villano.   1790

D. DUARDOS: ¡Oh, mi dios,
no queráis saber quién so!
Sed vos Roma, yo Trajano
para vos.

1792 so, 'soy'.
1793-1794 Trajano, primer emperador nacido fuera de Italia, fue recibido por Roma
en triunfo. Su calidad de «extranjero» no impidió el dicho romano: *Augusto
feliciter, melior Traiano.*

181

	Sed para mí Costantino;	1795
	aquel noble emperador	
	me sed, señora,	
	y yo la moza del molino,	
	la qu'él hizo, por amor,	
	emperadora.	1800
	¡Oh, milagrosa señora!	
	¡Oh, milagrosa princesa	
	divinal,	
	no matéis quien os adora,	
	que ninguna sancta diesa	1805
	hace mal.	

FLÉRIDA: Vámonos d'aquí, Artada,
d'esta huerta sin consuelo
para nos.
¡De fuego seas quemada 1810
y sea rayo del cielo,
plega a Dios!
¡Oh, hombre! ¿No me dirás,
pues que me quieres servir,
quién tú eres? 1815
Dímelo a mí no más.
Ya sola te lo quiero oír,
si quisieres.

D. DUARDOS: Pláceme, con tal cautela,
por hacer hechos discretos, 1820
que estemos
sin sol, luna ni candela
que descubran los secretos
que hacemos.
Será a horas y en lugar 1825
que estén solas las estrellas
de presente,
los árboles sin lunar
y Artada allí con ellas,

1795-1800 Se desconoce el origen y la calidad social de Minervina, la primera mujer
de Constantino I el Grande. Es posible que fuera de raíz bárbara, esclava de
nacimiento o captura, y pagana de religión. Tampoco se saben las razones por
las que Constantino se divorció de ella. De ahí la leyenda a que hace alusión Gil
Vicente.
1805 *diesa*, 'diosa'. *Vid.* v. 133.
1817 Verso eneasílabo.
1828 *lunar*, 'luz de la luna'. Lusismo.

	sin más gente.	1830
	allí os descobriré	
	quién soy, y seréis servida,	
	pues queréis	
	no crer quién yo soy, por fe,	
	que por vos tomé esta vida	1835
	que me veis.	
	Y si tenéis desconsuelo,	
	pensando que pera enojaros	
	esto quiero,	
	juro a los dioses del cielo	1840
	que, solamente en miraros,	
	temblo y muero.	
ARTADA:	Señor, mudad el pelejo.	
	Id a vestir vuesos paños	
	naturales.	1845
	Ella haberá su consejo,	
	que estes pasos traen daños	
	inmortales.	

(Vase don DUARDOS, y van hablando ARTADA y FLÉRIDA, y dice ARTADA:)

	Señora, ¿qué será aquí	
	si este hombre es caballero	1850
	y no él?	
	¿Para qué es, triste de mí,	
	dar por la vaca al vaquero	
	principal?	
	D'otra parte, ¿qué ha d'hacer,	1855
	salvo si es príncipe él	
	de Normandía?	
FLÉRIDA:	¿Y quién se había de atrever	
	a mí, si no fuese aquél	
	o su valía?	1860

1834 *crer*, 'creer'.
1838 *pera*, 'para'. Lusismo. Verso eneasílabo.
1842 *temblo*, 'tiemblo'.
1843 *pelejo*, 'pellejo'.
1846 *haberá*, 'habrá'.
1847 *estes*, 'estos'. Lusismo.
1851 *ál*, 'otra cosa'.

183

ARTADA:	Paréceme mal, señora,
	quereros hablar a escuras.
FLÉRIDA:	Y a mí.
ARTADA:	Yo duermo luego en la hora
	que anochece, y sus dulzuras	1865
	bien las vi.
FLÉRIDA:	¿Qué remedio?, que yo me fino
	por saber quién es este hombre.
	Soy perdida.
	Ardo en fuego de contino	1870
	con ansias que no han nombre
	ni medida.

(En cuanto pasaban estas cosas, CAMILOTE mató a don ROBUSTO y otros caballeros, por el reto de MAIMONDA contra FLÉRIDA. Al saber esto don DUARDOS, se armó y se fue al campo, y mató a CAMILOTE. Y AMANDRIA entra diciendo:)

AMANDRIA:	Camilote es muerto ya.
FLÉRIDA:	¿De verdad?
AMANDRIA:	Sí, por cierto.
FLERIDA:	¿Quién lo mató?	1875
AMANDRIA:	Ninguno lo sabe allá.
	Maimonda, que lo vio muerto,
	luego ahuyó.
	Va tras d'ella el caballero.
FLÉRIDA:	¿No es el de nuesa corte?	1880
AMANDRIA:	¡Para mayo!
	Es un príncipe extranjero.
	Tan presto le dio la muerte
	como un rayo.
FLÉRIDA:	¿De qué estatura será?	1885
AMANDRIA:	Del cuerpo de Julïán,
	y ansí hermoso.
	Algunos dicen allá
	que es el Caballero del Can,
	el famoso.	1890

1861 *parece mal*, en C¹. Seguimos C² por exigencias del cómputo silábico.
1878 *ahuyó*, 'huyó'.
1881 '¡De ninguna manera!'. *Vid.* Dámaso Alonso, nota al v. 1837.
1889 'don Duardos'.

FLÉRIDA: Asentaos y holguemos.
Cantad algo, mis doncellas,
todas vos,
que cedo al son de los remos
feneceran las querellas   1895
de los dos.

(Cantan y tañen, y al acabar, dice ARTADA:)

ARTADA: Acuérdeseos, señora, qu'el sol es partido
de nuestro horizonte y es noche cerrada.
La luna ahora es toda menguada
y solas estrellas quedó n'el partido.   1900
Heis que parece la estrella Polas
con la Bocina, su Carro guiando.
FLÉRIDA: En eso estaba, Artada, pensando.
Dejadnos, vosotras, rezar aquí solas.
ARTADA: ¿Qué caso sería y buena fortuna   1905
matar Juliän aquel fiero hombre.
FLÉRIDA: Que no es Julián, Artada, su nombre,
y él lo mató sin duda ninguna.
Y éste m'afirmo ser mor caballero
de toda la Grecia y de todo el mundo.   1910
Y cada vez más este caso es profundo,
que ahora le quiero más que de primero

*(Viene don DUARDOS, vestido de príncipe, con la guirnalda de MAI-
MONDA, y dice:)*

D. DUARDOS: ¡Oh, cuán poquito servicio
es poner por vos la vida!
¡Cuán pequeño!   1915
Que no es gran beneficio
pagar la deuda debida
a su dueño.
Por vos se debe morir;

1894   *cedo*, 'pronto'.
1901-1902 *si carrogiando*, en C¹. Seguimos la propuesta de Dámaso Alonso, quien hace la siguiente interpretación de estos versos: «He aquí que aparecen la estrella
Pólux y también la constelación de la Bocina (Osa Menor) guiando su propio
Carro (o, tal vez, mejor), guiando la constelación del Carro Mayor (Osa
Mayor).»
1909   *mor*, 'mayor'. Lusismo.

185

	a vos se debe el osar,	1920
	alta ifanta,	
	que sois diesa del vivir	
	y señora del matar,	
	siendo sancta.	
	A vos, señora, son debidas	1925
	flores de más altas rosas	
	y peligro,	
	aunque estas fueron cogidas	
	en las sierras más hermosas	
	d'este siglo.	1930
	Y aquel que las cogió	
	se puso en harta ventura	
	con serpientes.	
	El por Maimonda murió,	
	y yo por la hermosura	1935
	de las gentes.	
FLÉRIDA:	Artada, ¿qué le diré?	
ARTADA:	Que viene muy gentil hombre.	
FLÉRIDA:	¡Oh, quién supiese su nombre!	
	¡Oh, Dios! ¿Por qué no lo sé?	1940
D. DUARDOS:	Pero quiso vuesa alteza	
	que deba besar la mano,	
	de mi seda	
	y no de vuesa grandeza,	
	pues si yo me soy villano,	1945
	ahí se queda.	
	Yo a vos amo y no más.	
	Por princesa, por ventura,	
	no, ¡cuitado!,	
	que mucho queda detrás	1950
	de vuesa gran hermosura	
	vueso estado.	
	¡Por mí, por mí (que yo por vos,	
	y no por serdes tan alta,	
	soy cativo),	1955
	dadme la vida, mi dios!,	

1922   *diesa*, 'diosa'. *Vid.* v. 133.
1925   Verso encasílabo.
1954   *serdes*, 'scr'. Infinitivo conjugado. *Vid.* v. 448.
1955   *cativo*, 'cautivo'.

186

	que el hombre, ado no hay falta, bueno es vivo.	
FLÉRIDA:	Sea de qué suerte sea, allegada es vuesa tema al engaño. Queréis vencer mi pelea y no queréis que me tema de mi daño.	1960
	Queréis que pierda ell amor a mi padre, y a mi señora, y al sosiego, y a mi fama, y a mi loor y a mi bondad, que se desdora en este fuego.	1965 1970
D. DUARDOS:	No debéis considerar; que el lugar, y las estrellas y el modo, el amor y el callar, mis dolores, mis querellas vencen todo.	 1975
FLÉRIDA:	En todo cuanto deseo, en todo os hallo duro hasta aquí. Todo siento, todo veo y todo se hace escuro para mí.	 1980
D. DUARDOS:	Si al menor rincón llegáis de mi ardente corazón, encenderéis candela con que veáis que os pido galardón que me debéis.	 1985
FLÉRIDA:	¿Qué será de mí, Artada, pues que amar y resistir es mi pasión.	 1990
ARTADA:	Señora, estoy espantada. Y cantando quiero decir la conclusión.	

1969   Verso eneasílabo.
1984   *ardente*, 'ardiente'.

187

«Al amor y a la fortuna 1995
no hay defensión ninguna.»

FLÉRIDA: Aunque nunca se halló
al amor y a la fortuna
defensión,
debiera haber, triste yo, 2000
para mí siquiera alguna,
de razón.
¡Oh, ventura, diesa mía,
refugio de los humanos
soberano! 2005
Tú sola tomo por guía
y entrégome en tus manos
por mi mano.

PATRÓN: Señor es ya plenamar
y son horas naturales 2010
de partir,
porque puedan bien nadar
las diez galeras reales
y salir.
Y las otras medianas, 2015
y las fustas, y galeras
y las naves,
están y vienen lozanas,
espalmadas y ligeras
como aves. 2020
Parta vuesa señoría,
pues la noche hace escura
y es hora.

D. DUARDOS: ¿Qué decís, señora mía?
Ya me di a la ventura, 2025
mi señora.
Y pues sabe este pumar
y la huerta mi dolor
tan profundo,

1996   *defensión,* 'defensa'.
2003   *diesa,* 'diosa'.
2009   *plenamar,* 'pleamar'.
2019   *espalmadas,* 'despalmadas'; *despalmar* es 'limpiar y dar sebo a los fondos de las embarcaciones que no estn forradas de cobre'.
2027   *pumar,* 'pomar'.

	quiero que sepa la mar	
	que el amor es el señor	
	d'este mundo.	
ARTADA:	Por memoria de tal trance	
	y tan terrible partida	
	venturosa,	2035
	cantemos nuevo romance	
	a la nueva despedida	
	peligrosa.	

2030

(Romance para final del auto.)

[ARTADA]:	En el mes era de abril,	
	de mayo antes un día,	
	cuando lirios y rosas	2040
	muestran más su alegría,	
	en la noche más serena	
	qu'el cielo facer podía	
	cuando la hermosa ifanta	2045
	Flérida ya se partía,	
	en la huerta de su padre	
	a los árboles decía:	
[FLÉRIDA]:	Quedaos adiós, mis flores,	
	mi gloria que ser solía.	2050
	Voyme a tierras extranjeras,	
	pues ventura allá me guía.	
	Si mi padre me buscare,	
	que grande bien me quer	
	digan que amor me lleva,	2055
	que no fue la culpa mía.	
	Tal tema tomó comigo	
	que me venció su profía.	
	¡Triste, no sé a dó vo,	
	ni nadie me lo decía!	2060
[ARTADA]:	Allí habla don Duardos:	
[D. DUARDOS]:	No lloréis, mi alegría,	

2039 Reproducimos el romance según el texto de C¹, el cual no identifica el nombre
      del interlocutor.
2044 *facer*, 'hacer'.
2049 C¹ no identifica el nombre del interlocutor.
2054 *querría* en C¹. C² y las otras versiones del romance lo corrigen así.
2058 *profía*, 'porfía'.
2059 *vo*, 'voy'.

189

que en los reinos d'Inglaterra
más claras aguas había
y más hermosos jardines,   2065
y vuesos, señora mía.
Ternéis trecientas doncellas
de alta genelosía.
De plata son los palacios
para vuesa señoría,   2070
d'esmeraldas y jacintos,
d'oro fino de Turquía,
con letreros esmaltados
que cuentan la vida mía,
cuentan los vivos dolores   2075
que me distes aquel día,
cuando con Primaleón
fuertemente combatía.
Señora, vos me matastes,
que yo a él no lo temía.   2080

[ARTADA]:   Sus lágrimas consolaba
Flérida, que esto oía.
Fuéronse a las galeras
que don Duardos tenía.
Cincoenta eran por cuenta.   2085
Todas van en compañía.
Al son de sus dulces remos
la princesa se adormía
en brazos de don Duardos,
que bien le pertenecía.   2090
Sepan cuantos son nacidos
aquesta sentencia mía:
que contra la muerte y amor
nadie no tiene valía.

[PATRÓN];   Lo mismo iremos cantando   2095
por esa mar adelante,
a las serenas rogando

2067   *trecientas,* 'trescientas'.
2068   *genelosía,* 'genealogía'. Forma usada, según Gillet, *Propalladia...* v. III. pgs.
       651-652, nota 58, por el marqués de Santillana en el *Dilogo de Bías contra Fortu-*
       na.
2088   *adormía,* 'dormía'.
2093   Verso eneasílabo.
2097   *serenas,* 'sirenas'.

y vuestra alteza mandando
que en la mar siempre se cante.

(Este romance se dice representado y después vuelto a cantar por despedida.)

FINIS

La muerte liberadora...
Tragedia de la destrucción de Numancia

por Miguel de Cervantes

Introducción

La «Numancia»

El 19 de septiembre de 1580 Cervantes fue liberado de un largo cautiverio de cinco años en tierras argelinas. Al volver a España en noviembre del mismo año, Cervantes se instala en Madrid e inicia una carrera de dramaturgo que le llevará a participar en la vida teatral de la corte. Su actividad dramática de esta época tiene lugar entre el fin de 1582 y los principios de 1583, y el año 1587, en que, según él mismo dice [1], «tuue otras cosas en que ocuparme, dexé la pluma y las comedias».

Es en esos años cuando, según Cervantes confiesa, «se vieron en los teatros de Madrid representar *Los Tratos de Argel*, que yo compuse, *La destruyción de Numancia* y *La batalla naual*, donde me atreui a reduzir las comedias a tres jornadas, de cinco que tenían; mostre, o, por mejor dezir, fui el primero que representasse las imaginaciones y los pensamientos escondidos del alma, sacando figuras morales al teatro, con general y gustoso aplauso de los oyentes» [2].

Poco sabemos de quiénes estrenaban obras dramáticas en los escenarios de la época. No tenemos ninguna noticia de quién puso en escena *La destruición de Numancia*. Sabemos, por un pasaje del *Quijote*, que la *Numancia* y otras obras «de algunos entendidos poetas han sido compuestas para fama y renombre suyo, y para ganancia de los que las han representado» [3]. Sin pretender que Cervantes sea quien habla por boca del texto quijotesco, sí podemos suponer que la *Numancia* salió a las tablas y dio dinero a quien la llevó ante el público espectador.

[1] Cervantes, *Comedias y entremeses*, t. I, Edición de Schevill y Bonilla, Madrid, 1915, pág. 7.
[2] Id.
[3] Cervantes, *Don Quixote de la Mancha*, t. II, Edición de Schevill y Bonilla, Madrid, 1931, pág. 348.

El momento, pues, en que Cervantes concibe, escribe y ve representar su tragedia es el mismo en que España anexiona Portugal (1581), en que nuestro autor vuelve del cautiverio argelino (1580) y descubre la dolorosa desaparición de su ídolo político y militar, don Juan de Austria (1578), el vencedor de Lepanto (1571) y el aniquilador de la resistencia morisca en las Alpujarras (1570). Entre estas etapas históricas se sitúa la creación de *La destruición de Numancia.*

Cervantes, para la construcción de la obra que nos ocupa, recurrió a la antigua historia de la romanización de España. El general Escipión asedia la ciudad de Numancia en el año 133 a.C., con un ejército de unos 60.000 hombres [4]. Los numantinos, rebeldes indómitos, intentaron por varios medios romper el cerco, pero tuvieron que ceder y rendirse. Sin embargo, antes de hacerlo, pidieron un día de plazo, en el que la mayor parte se dio la muerte. La ciudad fue quemada y arrasada por el ejército imperial. Los historiadores antiguos se hicieron eco de aquel suceso, lo organizaron como materia literaria y lo transmitieron a la posteridad. Pero Cervantes, más que en los cronistas romanos, se inspiró en la obra de Ambrosio de Morales, continuación de la de Florián de Ocampo, en la *Crónica* de Diego de Valera y, como acertadamente sugiere Yndurain [5], en las *Epístolas familiares* de fray Antonio de Guevara [6].

La tragedia no es una simple reconstrucción arqueológica de un hecho histórico pasado. La *Numancia* pone en escena una serie de personajes y de situaciones, cuya complejidad excluye toda lectura monocorde. El referente histórico-arqueológico, la anécdota superficial, es completado por un correferente profundo que viene a motivar la dramatización de la lucha de las minorías aplastadas por las mayorías dominantes. Es el sentido que puede verse en la ambigua actitud de la obra cuando presenta con entrañable admiración al, por otra parte, odiado destructor de Numancia [7], el general Escipión.

Dejando de lado la larga y variada crítica que sobre la *Numancia* se ha hecho, es claro que, actualmente (Yndurain, Ruiz Ramón, Canavaggio, Doménech, Hermenegildo) los estudios tienden a valorar la obra al margen de toda concepción excesivamente cerrada del teatro. Los neoclásicos afirmaron

[4] Luis G. de Valdeavellano, *Historia de España,* t. I, primera parte, 5.ª ed., Madrid, Revista de Occidente, 1973, pág. 169.

[5] Cervantes, *La Numancia,* Edición, prólogo y notas de Francisco Yndurain, Madrid, Aguilar, 1964, pág. 26.

[6] *Vid.* el excelente libro de Jean Canavaggio, lleno de información útil.

[7] Sobre el tema de la referencia a don Juan de Austria y a la aventura de las Alpujarras, *vid.* nuestro *La «Numancia» de Cervantes,* Madrid, 1976.

que los personajes alegóricos destruyen la verosimilitud, que el tema es más propio de la epopeya que de la tragedia, que hay falta de acción principal y exceso de episodios. Hoy se piensa, más lejos de la presión de la norma, en la emoción humana de la obra y en sus personajes concebidos a escala de hombres y mujeres de la cotidianidad. Cervantes evitó en esta tragedia ciertos escollos que los otros trágicos de fines del siglo XVI no pudieron esquivar (exceso de horror, teatro declamatorio, etc.). Y dejó una obra en la que, plasmando la trágica grandeza de la muerte de todo un pueblo, se hace un teatro íntimamente comprometido y con una fina penetración sicológica en el mundo del subconsciente. La utilización de las figuras morales, de que se vanagloria Cervantes, es el medio eficaz y rentable usado por el autor para descubrir en escena esa búsqueda en el subconsciente colectivo ya citada.

La obra está dividida en cuatro jornadas, en vez de las cinco clásicas, y no en tres, como podría suponerse a partir de la afirmación cervantina citada más arriba. Dedica una entera, la segunda, a la escenificación de los agüeros y predicciones, dando una importancia considerable al elemento mágico-religioso. El bando romano y el numantino, con sus contactos pacifistas o belicosos y la soledad existencial en que uno y otro se encuentran, como dos enemigos, habitantes únicos del planeta, llenan la tragedia. Numancia, abandonada por los dioses, tiene que perecer. Cipión, el general Escipión, derrotado en su victoria, ve irremediablemente comprometido el éxito de su brillante acción. El Duero, España y la Fama vendrán a lanzar hacia el futuro las consecuencias gloriosas de las nada más que aparentes derrota de Numancia y victoria de Roma.

Los personajes de la obra, muy numerosos, han sido ordenados en tres planos claramente identificados: el general, el individual y el moral o alegórico. El autor procede generalmente de la siguiente manera: un designio común, una decisión ciudadana —el plano general— se manifiesta por medio de la intervención de figuras genéricas (un numantino, una mujer, un embajador, etc.). Cervantes sitúa inmediatamente la dimensión personal —el plano individual—, a través de los personajes identificados como seres singularizados, individualizados (Marandro, Lira, Teógenes, etc.), para dar un tono más humano a la obra. El tercer plano —el moral o alegórico— viene a descubrir, a abrir ante el espectador, motivaciones subconscientes del conflicto padecido por el pueblo numantino. Los tres planos se superponen y se complementan en una perfecta armonía. «La consideración aislada de cualquiera de ellos lleva irremediablemente a una errónea e injusta interpretación de la tragedia cervantina. España y el Duero, separados del conjunto, exigen su integración en una obra totalmente alegórica —un auto sacramental, por ejemplo— o en un poema épico de colosales proporciones; los Numantinos, las Mujeres y demás personajes miembros de la colectividad habrían vivido más plenamente en un poema épico si el plano individual no nos ofreciera el complemento indispensable para una acción dramática» [8]. No es necesario, pues, justificar la decisión cervantina de crear una tragedia con el tema de Numancia. Todos los elementos han quedado integrados en un fresco de colosales dimensiones, de épicas proporciones, pero conectado firmemente con lo humano cotidiano, con la vida diaria y sus componentes y condicionamientos fundamentales (amor, ternura, hambre, dolor, muerte). «Lo que la crítica ha llamado episodios —dice Ruiz Ramón [9]— no son tales, sino, justamente, la verdadera acción central de la tragedia de los numantinos. Una acción vista *dramáticamente* por Cervantes desde diversas perspectivas, a fin de que el espectador *pueda ver* —y eso es puro teatro— qué les pasa a los numantinos encerrados entre los muros de su ciudad, y cuál es la calidad humana de su heroísmo colectivo, pero concreto.» Lo colectivo y lo concreto, lo externo y lo interno, la acción y las motivaciones sicológicas profundas, son las piezas con que Cervantes lleva a cabo su ingeniosa y espectacular construcción dramática.

Veamos a continuación cómo funcionan los personajes dentro del sistema teatral de la *Numancia*. En primer lugar, Cipión, el general romano, modelo de guerreros. Es un personaje equilibrado y meditador, prototipo del hombre ordenado y del militar disciplinado. Cipión aparece como un carácter digno de ser imitado, como trasunto de un ideal que Cervantes tenía muy presente. Excepto en un pasaje, en que el caudillo romano trata de fieras enjauladas a los numantinos, su figura es considerada como ejemplar. Cervantes adopta en la tragedia una doble actitud, favorable a Numancia y a Cipión, y desfavorable a Roma y a su ejército. La *Numancia* presenta a un general agresivo contra sus propios soldados, cuando éstos han llegado al fondo de la degeneración y del vicio. Cervantes respeta y honra al general. Desprecia y ataca a Roma.

Si exceptuamos el caso de Cipión, en que pueden descubrirse rasgos inspirados por la figura de don Juan de Austria, todos los demás personajes de la obra tienen un evidente carácter genérico. Los personajes identificados en la lista que

[8] Hermenegildo, *La tragedia en el Renacimiento español*, pág. 376.
[9] Francisco Ruiz Ramón, *Historia del teatro español, I (Desde sus orígenes hasta 1900)*, Madrid, Alianza Editorial, 1971, pág. 131.

encabeza la obra, son sesenta y cuatro. Dejando de lado los citados en grupo (dos sacerdotes, etc.) y que llegan a ser veinticuatro, los cuarenta restantes se dividen en tres categorías. En primer lugar, hay dieciséis con nombre propio. Otros quince carecen de nombre individualizador. Finalmente, hay nueve personajes abstractos o alegóricos.

El equilibrio entre los dos primeros grupos es casi total. Pero si quitamos del primer conjunto la serie de siete personajes romanos quedan sólo nueve numantinos con nombre propio: Marandro, Lira, Teógenes, Caravino, Leonicio, Milvio, Servio, Marquino y Bariato. En la obra resalta sobre todo el sentido de realización colectiva, de empresa común. E incluso estos personajes singularizados, pertenecen a la categoría de lo genérico, entrando así de manera más plena en el todo orgánico de la obra. Cervantes ha considerado el conjunto del pueblo numantino. Las pocas singularizaciones existentes apenas son otra cosa que aspectos comunes de la sociedad de Numancia (la autoridad: Teógenes; hombre y mujer frente a frente: Marandro y Lira; la amistad entre los miembros de la comunidad: Marandro y Leonicio; lo religioso: Marquino; la encarnación de la lucha para conseguir el fracaso romano: Bariato). Todos los personajes son, de algún modo, simbólicos, genéricos, ejemplares.

Teógenes es quien asume la organización de la defensa de la ciudad. En él ve Casalduero [10] el sacrificio de la gran familia reducido a los términos abarcables dramáticamente. Teógenes es quien encarna la dimensión singular de un personaje público. En el acto final lleva a todos los suyos al sacrificio, con una profunda expresión de sentimientos paternos y conyugales, que son la manifestación del sentimiento ejemplar que tiene su acción. El es la cabeza actuante del cuerpo social numantino. En otro lugar hemos señalado [11] que la única preocupación profunda de Teógenes es la de la fama, la de la honra. Es el único personaje que manifiesta este interés por el tema que agobiaba la existencia colectiva de los españoles. En el discurso del caudillo numantino la preocupación de la honra y su invocación al hablar de la aniquilación de la familia son rasgos que entran en juego y limitan la dimensión heroica del personaje. Son trazos de una ironía cervantina que no pueden ser esquivados al leer la *Numancia*.

Marandro, Lira y Leonicio son tres personajes que quedan agrupados según dos temas o polos de atracción. El amor hombre-mujer, en el caso de los dos primeros. La estrecha

[10] Casalduero, *Sentido y forma del teatro de Cervantes*, pág. 277.
[11] Hermenegildo, *La «Numancia» de Cervantes*, págs. 88-89. De este trabajo se toman buena parte de las informaciones de esta introducción.

relación entre dos amigos inseparables, manifestada en la presencia dramática de Marandro y Leonicio[12]. Los tres nombres son simbólicos. Marandro, con lejanas resonancias griegas, se identifica con el *Hombre* de Numancia. El nombre Lira hace pensar en el instrumento, en la música, en la dulzura femenina. Leonicio, con su connotación semántica, hace pensar en la fuerza y el coraje del león y es nombre que simboliza muy bien la bravura y la generosidad sin límites del pecho numantino. Leonicio morirá luchando contra los romanos al lado de Marandro, para conseguir el pan que necesita la amada de este último, Lira. Es decir, el gesto que ha provocado la muerte de Leonicio es el ejemplo, el símbolo de lo que cuesta el pan del intento de redimir a Numancia, el pan de vida convertido en pan de muerte.

Incluso estos tres personajes quedan dentro del marco generalizador en que Cervantes sitúa la obra. De ahí que el amor entre Marandro y Lira, tan ferozmente criticado, no sea más que la dramatización de la dimensión humana con que se manifiesta el pueblo numantino. Cipión es el único personaje que queda fuera del marco generalizador. Y ya hemos visto su doble referente histórico.

Leonicio, Marandro y Lira representan, tal vez mejor que los otros caracteres, al español ideal con que Cervantes soñaba. Detrás de ellos se ocultan tendencias y preocupaciones cervantinas bien conocidas. De ahí su fondo cálidamente vivo y su inserción, *con todo derecho*, en el contexto bélico de la acción dramática. En la jornada segunda, después del conjuro de los dos sacerdotes, quedan en escena Marandro y Leonicio hablando de su desventura (vv. 915-926). Es un pasaje en el que encontramos claramente manifiesta la desconfianza cervantina de los hados, de la inercia de la historia, del peso del pasado en el presente. Una vez más pregona aquello de que el hombre es hijo de sus obras y del valor de las mismas, señalando, para terminar, el carácter de «notorio engaño» que tienen los conjuros de los sacerdotes, la ceremonia mágica, para predecir el futuro.

El último personaje identificado con nombre propio es Bariato, el muchacho numantino, único superviviente de la gran destrucción de la ciudad, que sube a la torre desafiando las súplicas y las promesas romanas. Se siente depositario de las esencias numantinas. La derrota se transforma en victoria con su muerte. Es decir, donde hay triunfo —Cipión, Roma—,

---

[12] La amistad de los dos amigos tiene un remoto precedente en el amor homosexual de Niso y Eurialo, pareja de amigos de la *Eneida* virgiliana. *Vid.* nuestro *La «Numancia» de Cervantes*, pág. 83.

hay derrota; donde hay derrota —Numancia y los numantinos—, hay victoria. Los hechos vividos no son más que simple apariencia de realidades más profundas. Todo el sistema de la tragedia y su escala de valores se modifican en la última escena con la muerte de este muchacho-símbolo. Cipión acepta el sentido ejemplar, mítico, de la desaparición de Bariato, al tiempo que anuncia su propia derrota, su sólo aparente victoria.

Un segundo plano lo forman los personajes innominados (numantinos, mujeres, etc.). Este tipo de figuras dramáticas añade una dimensión más general, más universal y teórica, al hecho teatral. Los numantinos dan al espectador un resumen vivo, una muestra exacta, de algunas de las inquietudes que asaltan al hombre cercado, a los grupos humanos oprimidos. Las mujeres son quienes van a forzar a los varones a quedarse dentro de los muros de la ciudad y a perecer con el resto de la población. Se convierten al mismo tiempo en la canalización dramática de un tema cervantino fundamental, el de la libertad. Cuando una de las mujeres anima a los hijos para que les pidan la muerte a sus propios padres, plantea el problema de la libertad perdida por un grupo humano nacido libre (vv. 1346-1353). Los hijos innominados son los hombres de Numancia, *el hombre* cercado que ha perdido la libertad en que nació y que busca su propia liberación en la muerte. Los gestos suicidas de quien nació libre y vive oprimido tienen un sabor de algo vivido por el autor. Ante la presión social esclavizante las soluciones no son muchas: el suicidio liberador de los numantinos, la evasión en la locura reveladora del licenciado Vidriera, la lucha desigual y redentora de don Quijote o la ironía mordaz del mejor Cervantes. Aquí el autor ha llevado sus personajes por el camino heroico de la muerte liberadora.

El tercer plano utilizado por Cervantes en la elaboración de sus personajes es el de las figuras morales o alegóricas. Las reflexiones de orden más general sobre España y los españoles aparecen canalizadas a través de este tipo de caracteres. Su verdadera razón de ser es la de amplificar, generalizar los casos más aislados, representados, en un primer tiempo, por los personajes nominados y, luego, por los innominados. Así ocurre, por ejemplo, cuando, tras haber dramatizado la gran catástrofe de los numantinos a través de los casos de Marandro, Lira, etc. en la cuarta jornada, la obra da un paso adelante y saca a escena la Guerra, la Enfermedad y el Hambre, con lo cual el autor evita el tener que seguir tratando otras situaciones concretas. Así se manifiesta el sentido generalizador de la tragedia, viendo el tema del dolor no desde el ángulo del que sufre, sino a partir de las causas mismas del sufrimiento.

Las figuras alegóricas son el vehículo privilegiado por Cervantes para hacer llegar al espectador sus reflexiones más profundas. El Hambre refiere no ya que los numantinos mueren de inanición, sino matándose unos a otros. El personaje España, en la primera jornada, es «la sola y desdichada España» (v. 360), tierra continuamente codiciada por las naciones extranjeras. Pero —y aquí entra la gran conjetura cervantina— España merece ser codiciada por los extranjeros porque sus hijos están profundamente divididos, «andan entre sí mismos diferentes» (v. 376). Cuando el personaje más significativo de toda la obra, España, habla de los españoles como de personas en perpetuo estado de división es inútil no querer abrir los ojos y rechazar la dolorida denuncia de Cervantes. España vivía la separación de la mayoría y las minorías como una gran tragedia, en opinión del autor de la *Numancia*. La destrucción de los moriscos por don Juan de Austria y su posterior expulsión fue tema que apasionó las voluntades del país. Es cierto que Cervantes, en *El coloquio de los perros*, unos años más tarde, no tiene una opinión muy positiva sobre los moriscos, pero su manera de pensar debió de evolucionar con los años. En todo caso, esta *Numancia* destruida, con sus asomos de ironía, puede verse como una pieza más del gran fresco cervantino, del decir ocultando buena parte de lo que se quiere decir, tal vez lo más importante, si hemos de aceptar lo que Cervantes afirma en el capítulo XLIV de la segunda parte del *Quijote,* que «se le den alabanças no por lo que escriue, sino por lo que ha dexado de excriuir» [13].

La métrica de la «Tragedia»

La obra consta de 2448 versos, distribuidos en cuatro jornadas. La jornada primera se desarrolla en octavas endecasílabas (ABABABCC), excepto en el bando de Cipión (vv. 49-64), en que se usan redondillas octosílabas (abba). En la jornada segunda se emplean las mismas octavas hasta el v. 680. Marandro y Leonicio (vv. 681-788) hablan en redondillas. La escena de los sacerdotes (vv. 789-906) en tercetos endecasílabos encadenados, termina en un cuarteto (ABAB). Siguen Marandro y Leonicio (vv. 907-938) en redondillas. Continúa la jornada en tercetos endecasílabos, acabados en un cuarteto (vv. 939-960), hasta la invocación de Marquino a los espí-

---

[13] Cervantes, *Don Quixote de la Mancha*, t. IV. Edición de Schevill y Bonilla, 1941, pág. 65.

ritus infernales (vv. 961-1088), en que recurre a las octavas. Marandro y Leonicio (vv. 1089-1112) terminan con redondillas.

Jornada tercera. La comunicación de los romanos con Caravino transcurre en octavas (vv. 1113-1232). Los numantinos (vv. 1233-1305) hablan en tercetos encadenados endecasílabos, cerrados por un cuarteto. La reacción de la Mujer 2.ª y Lira (vv. 1306-1401) vuelve a las redondillas, para dejar paso a las octavas (vv. 1402-1457). Marandro y Lira (vv. 1458-1573) hablan en redondillas. El diálogo que sigue, entre Marandro y Leonicio (vv. 1574-1631) está versificado en tercetos endecasílabos encadenados, cerrados por un cuarteto. Siguen los dos numantinos (vv. 1632-1687) en octavas, la madre y el hijo (vv. 1688-1731) en redondillas, y cierran la jornada los dos numantinos (vv. 1732-1739) repartiéndose una octava.

La última jornada empieza en octavas (vv. 1740-1795), hasta la escena de la muerte de Marandro en brazos de Lira (vv. 1796-1935), en redondillas, y siguen octavas (vv. 1936-2063), interrumpidas por un cuarteto (vv. 2064-2067), en boca de la Guerra. Se reanudan las octavas (2068-2115), para dar paso a las redondillas en el diálogo entre Bariato y Servio (vv. 2116-2139). Una serie de octavas (vv. 2140-2179), seguida de un cuarteto (vv. 2180-2183), da paso a una larga serie de versos sueltos (vv. 2184-2257). Unos tercetos encadenados (vv. 2258-2356), cerrados por un cuarteto (vv. 2357-2360), dan paso a las octavas en que se desarrolla el suicidio de Bariato, el discurso final de Cipión y la intervención de la Fama (vv. 2361-2448).

Nuestra edición

Hemos reproducido, con numerosas correcciones, el texto de la tragedia impreso por Schevill y Bonilla, a partir del manuscrito existente en la Biblioteca Nacional de Madrid. Hemos optado, en algunos casos, por las lecciones de la edición de la *Numancia* hecha por Antonio de Sancha (Madrid, 1784). Cuando la corrección es importante la hemos anotado, pero, en general, seguimos la excelente edición de Schevill y Bonilla. Hemos modernizado la ortografía (uso de *h-* inicial, solución de las vacilaciones en el uso de *b*, *v* y *c*, *s* y *z*, etc.), sin alterar las formas originales, y resuelto ciertas contracciones con la utilización del apóstrofo (*del/d'él*, *deste/d'este*, etc.). Identificamos el manuscrito como M, la edición de Sancha como S y la de Schevill y Bonilla como SB. Nuestras notas tienen como objetivo la aclaración de ciertos términos poco evidentes para el lector de hoy, así como la ilustración de algunas referencias históricas, geográficas o mitológicas. Ciertas formas corrientes en la literatura de los siglos XVI y XVII no han sido comentadas, por considerarlas frecuentes en este tipo de textos (asimilaciones del fonema «r» del infinitivo por el «l» del pronombre: *acaballa* por *acabarla;* variantes vocálicas: *sepoltura* por *sepultura;* metátesis: *daldes* por *darles;* reducción de grupos consonánticos: *efeto* por *efecto;* formas del imperativo con eliminación del morfema «-d»: *mirá* por *mirad,* etc.).

Bibliografía selecta

1. Ediciones

Las principales ediciones de *La destruición de Numancia* son las siguientes:

Viage al Parnaso. Publicanse ahora de nuevo una tragedia y una comedia inéditas del mismo Cervantes; aquella intitulada La Numancia, esta El Trato de Argel. Madrid, Antonio de Sancha, 1784.

Comedia del çerco de Numancia. (En *Comedias y entremeses.* Edición de Rodolfo Schevill y Adolfo Bonilla. Madrid, Gráficas Reunidas, 1920, vol. V, págs. 103-203).

El çerco de Numancia. Introducción y notas de Robert Marrast. Salamanca-Madrid, Anaya, 1961.

Obras. II. Obras dramáticas. Estudio preliminar de Francisco Yndurain. Madrid, Atlas, 1962.

La Numancia. Edición, prólogo y notas de Francisco Yndurain. Madrid, Aguilar, 1964.

La destrucción de Numancia. Edición y ensayo preliminar de Ricardo Doménech. Madrid, Taurus, 1967.

Rafael Alberti hizo dos versiones distintas de la obra, una publicada en Madrid (Signo, 1937) y otra en Buenos Aires (Losada, 1943). Una y otra han sido reeditadas en Madrid (Turner, 1975).

De los variados títulos que se han dado a la obra hemos optado por *La destruición de Numancia,* por ser así como la identificó Cervantes en el prólogo a las *Ocho comedias* citado en esta introducción.

2. Estudios

AVALLE-ARCE, J. B., «Poesía, historia, imperialismo. *La Numancia*» (*Anuario de Letras*, México, II, 1962, págs. 55-75).

CANAVAGGIO, JEAN, *Cervantès, dramaturge. Un théâtre à naître* (s.l.), Presses Universitaires de France, 1977.

CASALDUERO, JOAQUÍN, *Sentido y forma del teatro de Cervantes*. Madrid, Gredos, 1966.

COTARELO VALLEDOR, ARMANDO, *El teatro de Cervantes. Estudio crítico*. Madrid, Tipografía de la Revista de Archivos, Bibliotecas y Museos, 1915.

HERMENEGILDO, ALFREDO, «El proceso creador de la *Numancia* de Alberti» (*Imprévue*, 1979, págs. 147-161).

— *La «Numancia» de Cervantes*. Madrid, SGEL, 1976.

— *La tragedia en el Renacimiento español*. Barcelona, Planeta, 1973.

LAFFRANQUE, MARIE, «De l'histoire au mythe: à propos du [siège de Numancia] de Cervantes» (*Revue Philosophique*, XCII, 1967, págs. 271-296).

MARRAST, ROBERT, *Miguel de Cervantès, dramaturge*. París, L'Arche, 1957.

MCCURDY, RAYMOND, «The Numantia Plays of Cervantes and Rojas Zorrilla: The Shift from Collective to Personal Tragedy» (*Symposium*, XIV, 1960, págs. 100-120).

SHIVERS, GEORGE, «La historicidad de *El cerco de Numancia*, de Miguel de Cervantes Saavedra» (*Hispanófila*, n.° 39, 1970, págs. 1-14).

Tragedia de la destruición de Numancia

Figuras siguientes:

CIPIÓN, romano
YUGURTA, romano
GAYO MARIO, romano
QUINTO FABIO, romano
GAYO, soldado romano
Cuatro soldados romanos
Dos numantinos, embajadores
ESPAÑA
DUERO
Tres muchachos que representan riachuelos
TEÓGENES, numantino
CARAVINO, numantino
Cuatro gobernadores numantinos
MARQUINO, hechicero numantino
MARANDRO, numantino
LEONICIO, numantino
Dos sacerdotes numantinos
Un paje numantino
Seis pajes más, numantinos
Un hombre numantino
MILVIO, numantino
Un demonio

Un muerto
Cuatro mujeres de Numancia
LIRA, doncella
Dos ciudadanos numantinos
Una mujer de Numancia
Un hijo suyo
Otro hijo de aquélla
Un muchacho, hermano de LIRA
Una mujer de Numancia
Un soldado numantino
GUERRA
ENFERMEDAD
HAMBRE
La mujer de TEÓGENES
Un hijo suyo
Otro hijo y una hija de TEÓGENES
SERVIO, muchacho
BARIATO, muchacho, que es el que se arroja de la torre
Un numantino
ERMILIO, soldado romano
LIMPIO, soldado romano
La FAMA

JORNADA PRIMERA

(Entra CIPIÓN, *y* YUGURTA, *y* MARIO, *y* QUINTO FABIO, *hermano de*
CIPIÓN, *romanos.)*

CIPIÓN:	Esta difícil y pesada carga
	que el Senado romano me ha encargado,
	tanto me aprieta, me fatiga y carga,
	que ya sale de quicio mi cuidado.
	Guerra de curso tan extraño y larga 5
	y que tantos romanos ha costado,
	¿quién no estará suspenso al acaballa?
	¡Ah! ¿Quién no temerá de renovalla?
YUGURTA:	¿Quién, Cipión? Quien tiene la ventura,
	el valor nunca visto, que en ti encierras, 10
	pues con ella y con él está sigura
	la vitoria y el triunfo de estas guerras.
CIPIÓN:	El esfuerzo regido con cordura
	allana al suelo las más altas sierras,
	y la fuerza feroz de loca mano 15
	áspero vuelve lo que está más llano;
	mas no hay que reprimir, a lo que veo,
	la furia del ejército presente,
	que, olvidado de gloria y de trofeo,
	yace embebido en la lacivia ardiente. 20
	Y esto sólo pretendo, esto deseo:
	volver a nuevo trato nuestra gente;
	que, enmendado primero el que es amigo,
	sujetaré más presto al enemigo.
	¡Mario!
MARIO:	¡Señor!
CIPIÓN:	Haz que a noticia venga 25
	de todo nuestro ejército en un punto,
	que, sin que estorbo alguno le detenga,
	parezca en este sitio todo junto,
	porque una breve plática de arenga
	les quiero hacer.

5 *de guerra y curso tan estraña y larga,* en SB. Así en S.
7 *suspenso,* 'admirado'.
20 *lacivia,* 'lascivia'.
22 *trato,* 'ocupación'.
28 *parezca,* 'aparezca, se muestre'.

208

MARIO:	Harélo en este punto.	30
CIPIÓN:	Camina, porque es bien que sepan todos	
	mis nuevas trazas y sus viejos modos.	

(Vase MARIO.)

YUGURTA:	Séte decir, señor, que no hay soldado	
	que no te tema juntamente y ame;	
	y porque ese valor tuyo extremado	35
	de Antártico a Calisto se derrame,	
	cada cual, con feroz ánimo osado	
	cuando la trompa a la ocasión les llame,	
	piensa hacer en tus servicios cosas	
	que pasen las hazañas fabulosas.	40
CIPIÓN:	Primero es menester que se refrene	
	el vicio que entre todos se derrama;	
	que si éste no se quita, en nada tiene	
	con ellos que hacer la buena fama.	
	Si este daño común no se previene	45
	y se deja arraigar su ardiente llama,	
	el vicio solo puede hacernos guerra	
	más que los enemigos de esta tierra.	

(Tocan a recoger y échase de adentro este bando.)

	«Manda nuestro general	
	que se recojan, armados,	50
	luego todos los soldados	
	en la plaza principal,	
	y que ninguno no quede	
	de parecer a esta vista,	
	so pena que de la lista	55
	al punto borrado quede.»	
YUGURTA:	No dudo yo, señor, sino que importa	
	regir con duro freno la malicia	
	y que se dé al soldado rienda corta	

---

30 *en este punto,* 'inmediatamente'.
36 Calisto, en la mitología, fue una ninfa seducida por Júpiter y convertida en osa. Es la Osa Mayor. *De Antártico a Calisto,* 'del sur al norte'.
50 *se recojan,* 'se reúnan, formen'.
54 *vista,* 'revista militar'.
58 *recoger* en M y SB. Así en S.

cuando él se precipita en la injusticia.   60
La fuerza del ejército se acorta
cuando va sin arrimo de justicia,
aunque más le acompañen a montones
mill pintadas banderas y escuadrones.

*(Entra un alarde * de soldados, armados a lo antiguo, sin arcabuces,
y CIPIÓN se sube sobre una peña que estará allí, y dice:)*

CIPIÓN: En el fiero ademán, en los lozanos,   65
             marciales aderezos y vistosos,
             bien os conozco, amigos, por romanos;
             romanos, digo, fuertes y animosos;
             mas en las blancas, delicadas manos,
             y en las teces de rostros tan lustrosos,   70
             allá en Bretaña parecéis criados
             y de padres flamencos engendrados.
             El general discuido vuestro, amigos,
             el no mirar por lo que tanto os toca,
             levanta los caídos enemigos,   75
             que vuestro esfuerzo y opinión apoca.
             D'esta ciudad los muros son testigos,
             que aun hoy está cual bien fundada roca,
             de vuestras perezosas fuerzas vanas,
             que sólo el nombre tienen de romanas.   80
             ¿Paréceos, hijos, que es gentil hazaña
             que tiemble del romano nombre el mundo,
             y que vosotros solos en España
             le aniquiléis y echéis en el profundo?
             ¿Qué flojedad es esta tan extraña?   85
             ¿Qué flojedad? Si yo mal no me fundo,
             es flojedad nacida de pereza,
             enemiga mortal de fortaleza.
             La blanda Venus con el duro Marte
             jamás hacen durable ayuntamiento;   90
             ella regalos sigue, él sigue arte
             que incita a daños y furor sangriento.
             La cipria diosa estése agora aparte.

---

* *alarde*, 'formación militar'.
76 *opinión*, 'reputación'.
90 *ayuntamiento*, 'reunión de personas'.
93 *cipria*, 'de Chipre'. Se refiere a Venus.

Deje su hijo nuestro alojamiento,
que mal se aloja en las marciales tiendas   95
quien gusta de banquetes y meriendas.
¿Pensáis que sólo atierra la muralla
el almete y la acerada punta,
y que sólo atropella la batalla
la multitud de gentes y armas junta?   100
Si el esfuerzo y cordura no se halla,
que todo lo previene y lo barrunta,
poco aprovechan muchos escuadrones,
y menos infinitas municiones.
Si a militar concierto se reduce   105
cualque pequeño ejército que sea,
veréis que como sol claro reluce
y alcanza las vitorias que desea.
Pero si a flojedad él se conduce,
aunque abreviado el mundo en él se vea,   110
en un momento quedará deshecho
por más reglada mano y fuerte pecho.
Avergonzaos, varones esforzados,
porque, a nuestro pesar, con arrogancia,
tan pocos españoles y encerrados   115
defiendan este nido de Numancia.
Dieciséis años son y más pesados
que mantienen la guerra y la ganancia
de haber vencido con feroces manos
millares de millares de romanos.   120
Vosotros os vencéis, que estáis vencidos
del bajo antojo y femenil, liviano,
con Venus y con Baco entretenidos,
sin que a las armas extendáis la mano.
Correos agora, si no estáis corridos,   125
de ver que este pequeño pueblo hispano
contra el poder romano se defienda
y, cuando más rendido, más ofenda.
De nuestro campo quiero, en todo caso,

94 *su hijo*, Cupido.
97 *atierra*, 'derriba, abate'.
98 *almete*, 'pieza de la armadura que cubría la cabeza'.
101 *si esfuerço de cordura no señala*, en M y SB. Así en S.
106 *cualque*, 'cualquiera'.
112 *reglada*, 'templada, parca'.
117 *Deciséis*, 'dieciséis'.

211

que salgan las infames meretrices, 130
que, de ser reducidos a este paso,
ellas solas han sido las raíces.
Para beber no quede más de un vaso,
y los lechos, un tiempo ya felices
llenos de concubinas, se deshagan 135
y de fajina y en el suelo se hagan.
No me güela el soldado otros olores
que el olor de la pez y de resina,
ni por golosidad de los sabores
traiga siempre aparato de cocina, 140
que el que usa en la guerra estos primores,
muy mal podrá sufrir la cota fina.
No quiero otro primor ni otra fragancia
en tanto que español viva en Numancia.
No os parezca, varones, escabroso 145
ni duro este mi justo mandamiento,
que al fin conoceréis ser provechoso,
cuando aquél consigáis de vuestro intento.
Bien se os ha de hacer dificultoso
dar a vuestras costumbres nuevo asiento; 150
mas, si no las mudáis, estará firme
la guerra que esta afrenta más confirme.
En blandas camas, entre juego y vino,
hállase mal el trabajoso Marte.
Otro aparejo busca, otro camino. 155
Otros brazos levantan su estandarte.
Cada cual se fabrica su destino.
No tiene allí fortuna alguna parte.
La pereza fortuna baja cría;
la diligencia, imperio y monarquía. 160
Estoy con todo esto tan seguro
de que al fin mostraréis que sois romanos,
que tengo en nada el defendido muro
d'estos rebeldes bárbaros hispanos.
Y así, os prometo por mi diestra y juro 165
que, si igualáis al ánimo las manos,

136 *fajina,* 'conjunto de haces de mies', 'paja'.
137 *güela,* 'huela'.
139 *golosidad,* 'gula, glotonería'.
155 *aparejo,* 'prevención de lo necesario para conseguir un fin'.

que las mías se alarguen en pagaros
y mi lengua también en alabaros.

*(Míranse los soldados unos a otros, y hacen señas a uno d'ellos, que
se llama* GAYO MARIO, *que responda por todos, y dice:)*

GAYO MARIO: Si con atentos ojos has mirado,
              ínclito general, en los semblantes   170
              que a tus breves razones han mostrado
              los que tienes agora circunstantes,
              cual habrás visto sin color, turbado,
              y cual con ella, indicios bien bastantes
              de que el temor y la vergüenza a una   175
              nos aflige, molesta e importuna.
              Vergüenza de mirar ser reducidos
              a término tan bajo por su culpa,
              que viéndose por ti reprehendidos,
              no saben a esa falta hacer disculpa.   180
              Temor de tantos yerros cometidos.
              Y la torpe pereza que los culpa
              los tiene de tal modo, que se holgaran
              antes morir que en esto se hallaran.
              Pero el lugar y tiempo que los queda   ·185
              para mostrar alguna recompensa,
              es causa que con menos fuerza pueda
              fatigarte el rigor de tal ofensa.
              De hoy más, con presta voluntad y leda,
              el más mínimo d'estos cuida y piensa   190
              de ofrecer sin revés a tu servicio
              la hacienda, vida, honra en sacrificio.
              Admite, pues, de sus intentos sanos
              al justo ofrecimiento, señor mío,
              y considera, al fin, que son romanos,   195
              en quien nunca faltó del todo brío.
              Vosotros levantad las diestras manos
              en señal que aprobáis el voto mío.
SOLDADO 1.º: Todo lo que habéis dicho confirmamos.
SOLDADO 2.º: Y lo juramos todos.

186 *recompensa,* 'compensación'.
189 *De hoy más,* 'desde hoy, desde ahora'.
189 *leda,* 'alegre'.
191 *sin revés,* 'sin excusa'.

| TODOS: | Sí, juramos. | 200 |

CIPIÓN: Pues arrimado a tal ofrecimiento,
            crece ya desde hoy mi confianza,
            creciendo en vuestros pechos ardimiento
            y del viejo vivir nueva mudanza.
            Vuestras promesas no se lleve el viento.   205
            Hacerlas verdaderas con la lanza;
            que las mías saldrán tan verdaderas
            cuanto fuere el valor de vuestras veras.

SOLDADO 1.º: Dos numantinos con seguro vienen
            a darte, Cipión, una embajada.   210

CIPIÓN: ¿Por qué no llegan ya? ¿En qué se detienen?

SOLDADO 1.º: Esperan que licencia les sea dada.

CIPIÓN: Si son embajadores, ya la tienen.

SOLDADO 1.º: Embajadores son.

CIPIÓN: Daldes entrada,
            que, aunque descubran cierto falso pecho,   215
            al enemigo siempre es de provecho.
            Jamás la falsedad vino cubierta
            tanto con la verdad, que no mostrase
            algún pequeño indicio, alguna puerta
            por donde su maldad se entestiguase.   220
            Oir al enemigo es cosa cierta
            que siempre aprovechó más que dañase.
            Y en las cosas de guerra, la experiencia
            muestra que lo que digo es cierta ciencia.

(Entran dos numantinos, embajadores.)

NUMANTINO 1.º: Si nos das, gran señor, grata licencia,   225
            decirte he la embajada que traemos;
            do estamos o ante sola tu presencia,
            todo a lo que venimos te diremos.

CIPIÓN: Decid, que adondequiera doy audiencia.

NUMANTINO 1.º: Pues con ese seguro que tenemos   230
            de tu real grandeza concedido,
            daré principio a lo que soy venido.
            Numancia, de quien yo soy ciudadano,
            ínclito general, a ti me envía,

---

216 S modifica M y dice: *el enemigo siempre es de provecho.* Conservamos *es* porque
     lo exige el sentido y la sintaxis.
220 *entestiguase,* 'atestiguase, hiciese patente'.

como al más fuerte capitán romano   235
que ha cubierto la noche y visto el día,
a pedirte, señor, la amiga mano
en señal de que cesa la porfía
tan trabada y cruel de tantos años,
que ha causado sus propios y tus daños.   240
Dice que nunca de la ley y fueros
del Senado romano se apartara,
si el insufrible mando y desafueros
de un cónsul y otro no le fatigara.
Ellos, con duros estatutos fieros   245
y con su extraña condición avara,
pusieron tan gran yugo a nuestros cuellos,
que forzados salimos d'él y d'ellos,
y, en todo el largo tiempo que ha durado
entr'ambas partes la contienda, es cierto   250
que ningún general hemos hallado
con quien poder tratar algún concierto.
Empero agora, que ha querido el hado
reducir nuestra nave a tan buen puerto,
las velas de la gavia recogemos   255
y a cualquiera partido nos ponemos.
No imagines que temor nos lleva
a pedirte las paces con instancia,
pues la larga experiencia ha dado prueba
del poder valeroso de Numancia.   260
Tu virtud y valor es quien nos ceba
y nos declara que será ganancia
mayor que cuantas desear podemos,
si por señor y amigo te tenemos.
A esto ha sido la venida nuestra.   265
Respóndenos, señor, lo que te place.

CIPIÓN: ¡Tarde de arrepentidos dais la muestra!
Poco vuestra amistad me satisface.
De nuevo ejercitad la fuerte diestra,
que quiero ver lo que la mía hace.   270
Quizá que ha puesto en ella la ventura
la gloria nuestra y vuestra sepoltura.
A desvergüenza de tan largos años

---

254 *reducir*, 'llevar, cambiar de lugar'.
255 *gavia*, 'uno de los mástiles del barco'.
261 *ceba*, 'atrae'.

                    es poca recompensa pedir paces.
                    Seguid la guerra y renovad los daños.   275
                    Salgan de nuevo las valientes haces.
NUMANTINO 1.º:La falsa confianza mill engaños
                    consigo trae. Advierte lo que haces,
                    señor, que esa arrogancia que nos muestras
                    remunera el valor en nuestras diestras.   280
                    Y pues niegas la paz que con buen celo
                    te ha sido por nosotros demandada,
                    de hoy más la causa nuestra con el cielo
                    quedará por mejor calificada.
                    Y antes que pises de Numancia el suelo,   285
                    probarás dó se extiende la indignada
                    fuerza de aquel que, siéndote enemigo,
                    quiere ser tu vasallo y fiel amigo.
CIPIÓN: ¿Tenéis más que decir?
NUMANTINO 1.º: No, mas tenemos
                    que hacer, pues tú, señor, ansí lo quieres   290
                    sin querer la amistad que te ofrecemos,
                    correspondiendo mal de ser quien eres.
                    Pero entonces verás lo que podremos
                    cuando nos muestres tú lo que pudieres,
                    que es una cosa razonar de paces   295
                    y otra romper por las armadas haces.
CIPIÓN: Verdad decís. Y ansí, para mostraros
                    si sé tratar en paz y hablar en guerra,
                    no os quiero por amigos acetaros
                    ni lo seré jamás de vuestra tierra.   300
                    Y con esto podéis luego tornaros.
NUMANTINO 1.º:¿Que en esto tu querer, señor, se encierra?
CIPIÓN: Ya te he dicho que sí.
NUMENTINO 2.º: Pues, ¡sus!, al hecho,
                    que guerra ama el numantino pecho.

(Vanse los embajadores y dice QUINTO FABIO, hermano de CIPIÓN:)

QUINTO FABIO: El descuido pasado nuestro ha sido   305
                    el que les hace hablar de aquesta suerte;
                    mas ya es llegado el tiempo y es venido

---

276   *haces,* 'tropas formadas en filas'.
283   *de hoy más,* 'desde hoy, desde ahora'.
296   *haces,* 'tropas formadas en filas'.

do veréis vuestra gloria y vuestra muerte.
CIPIÓN:
El vano blasonar no es admitido
de pecho valeroso, honrado y fuerte.   310
Tiempla las amenazas, Fabio, y calla,
y tu valor descubre en la batalla.
Aunque yo pienso hacer que el numantino
nunca a las manos con nosotros venga,
buscando de vencerle tal camino   315
que más a mi provecho se convenga.
Y haré que abaje el brío y pierda el tino
y que en sí mesmo su furor detenga.
Pienso de un hondo foso rodeallos
y por hambre insufrible he de acaballos.   320
No quiero yo que sangre de romanos
colore más el suelo de esta tierra.
Basta la que han vertido estos hispanos
en tan larga, reñida y cruda guerra.
Ejercítense agora vuestras manos   325
en romper y a cavar la dura tierra.
Y cúbranse de polvo los amigos
que no lo están de sangre de enemigos.
No quede de este oficio reservado
ninguno que le tenga preminente.   330
Trabaje el dicurión como el soldado
y no se muestre en esto diferente.
Yo mismo tomaré el hierro pesado
y romperé la tierra fácilmente.
Haced todos cual yo veréis que hago   335
tal obra, con que a todos satisfago.
QUINTO FABIO: Valeroso señor y hermano mío,
bien nos muestras en esto tu cordura,
pues fuera conocido desvarío
y temeraria muestra de locura   340
pelear contra el loco airado brío
d'estos desesperados sin ventura.

---

308 S dice *nuestra gloria*, pero creemos que hay que mantener la lectura de M, como
     SB. Tiene más sentido en el contexto.
311 *Tiempla*, 'templa, modera'.
317 *abaje*, 'baje'.
324 *cruda*, 'cruel'.
327 *cubrirse*, en M. Así en S y no en SB.
331 *dicurión*, 'decurión, jefe de una decuria o escuadra de diez soldados en el ejérci-
     to romano'.

217

Mejor será encerrallos, como dices,
y quitarles al brío las raíces.
Bien puede la ciudad toda cercarse   345
si no es la parte por do el rio la baña.

CIPIÓN: Vamos, y venga luego a efetuarse
esta mi nueva traza, usada hazaña,
que si en mi favor quiere mostrarse
el cielo, quedará sujeta España   350
al Senado romano, solamente
con vencer la soberbia de esta gente.

*(Vanse y sale ESPAÑA, coronada con unas torres, y trae un castillo en
la mano, que sinifica España.)*

ESPAÑA: ¡Alto, sereno y espacioso cielo,
que, con tus influencias, enriqueces
la parte que es mayor de este mi suelo   355
y sobre muchos otros le engrandeces,
muévate a compasión mi amargo duelo
y, pues al afligido favoreces,
favoréceme a mí en ansia tamaña,
que soy la sola y desdichada España!   360
Basta ya que un tiempo me tuviste
todos mis flacos miembros abrasados,
y al sol por mis entrañas descubriste
al reino oscuro de los condenados,
y a mill tiranos mill riquezas diste;   365
a fenicis y a griegos entregados
mis reinos fueron, porque tú has querido
o porque mi maldad lo ha merecido.
¿Será posible que contino sea
esclava de naciones extranjeras,   370
y que un pequeño tiempo yo no vea
de libertad tendidas mis banderas?
Con justísimo título se emplea
en mí el rigor de tantas penas fieras,
pues mis famosos hijos y valientes   375
andan entre sí mismos diferentes.
Jamás entre su pecho concertaron
los divididos ánimos furiosos,

346   *rio.* El cómputo silábico obliga la lectura en una sola sílaba.
366   *fenicis,* 'fenicios'.

218

antes entonces más los apartaron
cuando se vieron más menesterosos.　　　　380
Y ansí, con sus discordias, convidaron
los bárbaros de pechos cudiciosos
a venir a entregarse en mis riquezas,
usando en mí y en ellos mil cruezas.
Numancia es la que agora sola ha sido　　385
quien la luciente espada sacó fuera,
y a costa de su sangre ha mantenido
la amada libertad suya y primera.
Mas, ¡ay!, que veo el término cumplido,
llegada ya la hora postrimera　　　　　390
do acabará su vida y no su fama,
cual fénix renovándose en la llama.
Estos tan mucho temidos romanos,
que buscan de vencer cien mill caminos
rehuyendo venir más a las manos　　　　395
con los pocos valientes numantinos,
¡oh, si saliesen sus intentos vanos
y fuesen sus quimeras desatinos,
que esta pequeña tierra de Numancia
sacase de su pérdida ganancia!　　　　400
Mas, ¡ay!, que el enemigo la ha cercado
no sólo con las armas contrapuestas
al flaco muro suyo, mas ha obrado
con diligencia extraña y manos prestas
que un foso por la margen concertado　　405
rodee a la ciudad por llano y cuestas.
Sólo la parte por do el río se extiende
d'este ardid nunca visto se defiende.
Ansí están encogidos y encerrados
los tristes numantinos en sus muros.　　410
Ni ellos pueden salir, ni ser entrados
y están de los asaltos bien seguros.
Pero en solo mirar que están privados
de ejercitar sus fuertes brazos duros,
la guerra pediré o la muerte a voces,　　415

383　*entregarse en*, 'apoderarse de'.
384　*cruezas*, 'crueldades'.
392　*fénix*, 'ave fabulosa que los antiguos imaginaron única, y que renacía de sus
　　cenizas'.
409　*escojidos* en S y SB. Nos parece mejor lección la de M.

219

con horrendos acentos y feroces.
Y pues sola la parte por do corre
y toca a la ciudad el ancho Duero,
es aquella que ayuda y que socorre
en algo al numantino prisionero,   420
antes que alguna máquina o gran torre
en sus aguas se funde, rogar quiero
al caudaloso y conocido río,
en lo que puede, ayude al pueblo mío.
Duero gentil, que con torcidas vueltas   425
humedeces gran parte de mi seno,
ansí en tus aguas siempre veas envueltas
arenas de oro, cual el Tajo ameno;
ansí las ninfas fugetivas sueltas,
de que está el verde prado y bosque lleno,   430
vengan humildes a tus aguas claras
y en prestarte favor no sean avaras;
que prestes a mis ásperos lamentos
atento oído o que a escucharlos vengas,
aunque dejes un rato tus contentos.   435
Suplícote que en nada te detengas.
Si tú, con tus continos crecimientos
d'estos fieros romanos no te vengas,
cerrado veo ya cualquier camino
a la salud del pueblo numantino.   440

(Sale el río DUERO con otros tres ríos, que serán tres muchachos, vestidos como que son tres riachuelos que entran en Duero junto a Soria, que en aquel tiempo fue Numancia.)

DUERO: Madre querida, España, rato había
                que oí en mis oídos tus querellas.
                Y si en salir acá me detenía,
                fue por no poder dar remedio a ellas.
                El fatal, miserable y triste día,   445
                según el disponer de las estrellas,
                se llega de Numancia, y cierto temo
                que no hay remedio a su dolor extremo.
                Con Obrón y Minuesa y también Tera,

422 *funde*, de *fundar*, 'apoyar, construir'.
429 *fugetivas*, 'fugitivas'.
449 Son los actuales ríos Urbión y Revinuesa.

cuyas aguas las mías acrecientan,   450
he llenado mi seno en tal manera
que las usadas márgenes revientan;
mas, sin temor de mi veloz carrera,
cual si fuera un arroyo, veo que intentan
de hacer lo que tú, España, nunca veas: 455
sobre mis aguas, torres y trincheas.
Mas ya qu'el revolver del duro hado
tenga el último fin estatuido
de ese tu pueblo numantino armado,
pues a términos tales ha venido,   460
un consuelo le queda en este estado:
que no podrán las sombras del olvido
escurecer el sol de sus hazañas,
en toda edad tenidas por extrañas.
Y puesto que el feroz romano tiende   465
el paso ahora por tan fértil suelo,
que te oprime aquí y allí te ofende
con arrogante y ambicioso celo,
tiempo vendrá, según que ansí lo entiende
el saber que a Proteo ha dado el cielo,   470
que estos romanos sean oprimidos
por los que agora tienen abatidos.
De remotas naciones venir veo
gentes que habitarán tu dulce seno
después que, como quiere tu deseo,   475
habrán a los romanos puesto freno.
Godos serán, que, con vistoso arreo,
dejarán de su fama el mundo lleno.
Vendrán a recogerse en tus entrañas,
dando de nuevo vida a sus hazañas.   480
Estas injurias vengará la mano
del fiero Atila en tiempos venideros,
poniendo al pueblo tan feroz romano
sujeto a obedecer todos sus fueros.
Y portillos abriendo en Vaticano   485

456 *trincheas*, 'trincheras'.
466 *para tan* en M y SB; *por tu* en S. Optamos por una lectura que suma las dos,
     tomando la de M como base.
470 *Proteo.* Neptuno dio a Proteo, el guardián de sus ganados, el poder de adivinar
     el futuro.
482 Atila, el rey de los hunos, venció a los emperadores de oriente y occidente.
485-488 Se hace alusión a la invasión del estado pontificio por las tropas imperiales

221

sus bravos hijos y otros extranjeros,
harán que para huir vuelva la planta
el gran piloto de la nave santa.
Y también vendrá tiempo en que se mire
estar blandiendo el español cuchillo   490
sobre el cuello romano y que respire
sólo por la bondad de su caudillo.
El grande Albano hará que se retire
el español ejército, sencillo
no de valor, sino de poca gente,   495
pues que con ella hará que se le aumente.
Y cuando fuere ya más conocido
el propio Hacedor de tierra y cielo,
aquel que ha de quedar istituido
por visorrey de Dios en todo el suelo   500
a tus reyes dará tal apellido
que El vea que más cuadre y dé consuelo.
Católicos serán llamados todos,
sucesión digna de los fuertes godos.
Pero el que más levantará la mano   505
en honra tuya y general contento,
haciendo que el valor del nombre hispano
tenga entre todos el mejor asiento,
un rey será de cuyo intento sano
grandes cosas me muestra el pensamiento.   510
Será llamado, siendo suyo el mundo,
el segundo Felipo sin segundo.
Debajo de este imperio tan dichoso,
serán a una corona reducidos,
por bien universal y a tu reposo,   515
tus reinos, hasta entonces divididos.
El girón lusitano, tan famoso,

de Carlos V —formadas por españoles y extranjeros— el 6 de mayo de 1527.
El papa Clemente VII, el gran piloto de la santa nave, huyó al castillo de
Santangelo.
489-496 En 1556, el ejército mandado por *el grande Albano,* el duque de Alba, inva-
dió los estados pontificios, se apoderó de Ostia y llegó a las puertas de Roma,
como reacción frente a la alianza del papa Paulo IV y de Enrique IV de Francia
contra España. El duque de Alba accedió a la tregua de cuarenta días pedida
por Paulo IV y no entró en Roma, firmando un tratado de paz con el Sumo
Pontífice.
500 *visorrey,* 'virrey'.
504 SB, siguiendo la lección de M, da *sujeçion e ynsinia de los godos.* Nos parece
más verosímil el texto de S.

222

que un tiempo se cortó de los vestidos
de la ilustre Castilla, ha de asirse
de nuevo y a su antiguo ser venirse. 520
¡Qué envidia, qué temor, España amada,
te tendrán mill naciones extranjeras,
en quien tú teñirás tu aguda espada
y tenderás triunfando tus banderas!
Sírvate esto de alivio en la pasada 525
ocasión, por quien lloras tan de veras,
pues no puede faltar lo que ordenado
ya tiene de Numancia el duro hado.

ESPAÑA: Tus razones alivio han dado en parte,
famoso Duero, a las pasiones mías, 530
sólo porque imagino que no hay parte
de engaño alguno en estas profecías.

DUERO: Bien puede de hecho, España, asegurarte,
puesto que tarden tan dichosos días.
Y adiós, porque me esperan ya mis ninfas. 535

ESPAÑA: ¡El cielo aumente tus sabrosas linfas!

JORNADA SEGUNDA

(Salen TEÓGENES y CARAVINO con otros cuatro numantinos, gober-
nadores de Numancia, y MARQUINO, hechicero, y siéntanse.)

TEÓGENES: Paréceme, varones esforzados,
que en nuestros daños con rigor influyen
los tristes signos y contrarios hados,
pues nuestra fuerza humana desminuyen. 540
Tiénennos los romanos encerrados
y con cobardes manos nos destruyen.
Ni con matar muriendo no hay vengarnos
ni podemos sin alas escaparnos.
No sólo a vencernos se despiertan 545
los que habemos vencido veces tantas,
que también españoles se conciertan
con ellos a segar nuestras gargantas.

517-520   Alude el Duero a la anexión de Portugal, llevada a cabo por Felipe II
en 1580.
534   *puesto que,* 'aunque'.
536   *linfas,* 'aguas'.
548   SB, siguiendo a M, da *çegar,* pero sugiere *segar,* lectura de S.

223

Tan gran maldad los cielos no consientan.
Con rayos hieran las ligeras plantas   550
que se muestren en daño del amigo,
favoreciendo al pérfido enemigo.
Mirá si imagináis algún remedio
para salir de tanta desventura,
porque este largo y trabajoso asedio   555
sólo promete presta sepoltura.
El ancho foso nos estorba el medio
de probar con las armas la ventura,
aunque a veces valientes, fuertes brazos,
rompen mill contrapuestos embarazos.   560

CARAVINO: ¡A Júpiter plugiera soberano
que nuestra juventud sola se viera
con todo el cruel ejército romano
adonde el brazo rodear pudiera,
que, allí, al valor de la española mano   565
la misma muerte poco estorbo hiciera
para dejar de abrir franco camino
a la salud del pueblo numantino!
Mas pues en tales términos nos vemos
que estamos como damas encerrados,   570
hagamos todo cuanto hacer podemos
para mostrar los ánimos osados.
A nuestros enemigos convidemos
a singular batalla, que, cansados
d'este cerco tan largo, ser podría   575
quisiesen acabarle por tal vía.
Y cuando este remedio no suceda
a la justa medida del deseo,
otro camino de intentar nos queda,
aunque más trabajoso a lo que creo: 580
este foso y muralla que nos veda
el paso al enemigo que allí veo,
en un tropel de noche le rompamos
y por ayuda a los amigos vamos.

NUMANTINO 1.º: O sea por el foso o por la muerte,   585
de abrir tenemos paso a nuestra vida,
que es dolor insufrible el de la muerte

---

561 *pluguiera*, 'agradara'.
564 *rodear*, 'removerse, revolverse'.
584 *vamos*, 'vayamos'.

224

si llega cuando más vive la vida.
Remedio a las miserias es la muerte,
si se acrecientan ellas con la vida,   590
y suele tanto más ser excelente
cuanto se muere más honradamente.

NUMANTINO 2.º:¿Con qué más honra pueden apartarse
de nuestros cuerpos estas almas nuestras,
que en las romanas haces arrojarse   595
y en su daño mover las fuerzas diestras?
Y en la ciudad podrá muy bien quedarse
quien gusta de cobarde dar las muestras,
que yo mi gusto pongo en quedar muerto
en el cerrado foso o campo abierto.   600

NUMANTINO 3.º:Esta insufrible hambre macilenta
que tanto nos persigue y nos rodea,
hace que en vuestro parecer consienta,
puesto que temerario y duro sea.
Muriendo, excusaremos tanta afrenta.   605
Y quien morir de hambre no desea,
arrójese conmigo al foso y haga
camino su remedio con la daga.

NUMANTINO 4.º:Primero que vengáis al trance duro
d'esta resolución que habéis tomado,   610
paréceme ser bien que desde el muro
nuestro fiero enemigo sea avisado,
diciéndole que dé campo seguro
a un numantino y a otro su soldado,
y que la muerte de uno sea sentencia   615
que acabe nuestra antigua diferencia.
Son los romanos tan soberbia gente
que luego acetarán este partido.
Y si lo acetan, creo firmemente
que nuestro amargo daño ha fenecido,   620
pues está un numantino aquí presente
cuyo valor me tiene persuadido
que el solo contra tres de los romanos
quitará la vitoria de las manos.
También será acertado que Marquino,   625
pues es un agorero tan famoso,

---

595   *haces,* 'tropas formadas en filas'.
604   *puesto que,* 'aunque'.

225

mire qué estrella, o qué planeta o signo
nos amenaza a muerte o fin honroso,
o si puede hallar algún camino
que nos pueda mostrar si del dudoso   630
cerco cruel, do estamos oprimidos,
saldremos vencedores o vencidos.
También primero encargo que se haga
a Júpiter solene sacrificio,
de quien podremos esperar la paga   635
harto mayor que nuestro beneficio.
Cúrese luego la profunda llaga
del arraigado acostumbrado vicio.
Quizá con esto mudará de intento
el hado esquivo y nos dará contento.   640
Para morir, jamás le falta tiempo
al que quiere morir desesperado.
Siempre seremos a sazón y a tiempo
para mostrar, muriendo, el pecho osado.
Mas, porque no se pase en balde el tiempo,   645
mirá si os cuadra lo que he demandado
y, si no os parece, dad un modo
que mejor venga y que convenga a todo.

MARQUINO: Esa razón que muestran tus razones
es aprobada del intento mío.   650
Háganse sacrificios y oblaciones
y póngase en efeto el desafío,
que yo no perderé las ocasiones
de mostrar de mi ciencia el poderío.
Yo os sacaré del hondo centro obscuro   655
quien nos declare el bien, el mal futuro.

TEÓGENES: Yo desde aquí me ofrezco, si os parece
que puede de mi esfuerzo algo fiarse,
de salir a este duelo que se ofrece,
si por ventura viene a efetuarse.   660

CARAVINO: Más honra tu valor claro merece.
Bien pueden de tu esfuerzo confiarse
más difíciles cosas y aun mayores,
por ser el que es mejor de los mejores.
Y pues tú ocupas el lugar primero   665
de la honra y valor, con causa justa,

659   M y SB dan *a esta duda*. Seguimos a S.

yo, que en todo me cuento por postrero,
quiero ser el heraldo de esta causa.

NUMANTINO 1.º:Pues yo con todo el pueblo me prefiero
hacer de lo que Júpiter más gusta,   670
que son los sacrificios y oblaciones,
si van con enmendados corazones.

NUMANTINO 2.º:Vámonos y, con presta diligencia,
hagamos cuanto aquí propuesto habemos
antes que la pestífera dolencia   675
de la hambre nos ponga en los extremos.
Si tiene el cielo dada la sentencia
de que en este rigor fiero acabemos,
revóquela, si acaso lo merece
la presta enmienda que Numancia ofrece.   680

(Vanse, y salen MARANDRO y LEONICIO, numantinos.)

LEONICIO: Marandro, amigo, ¿dó vas
o hacia dó mueves el pie?

MARANDRO: Si yo mismo no lo sé,
tampoco tú lo sabrás.

LEONICIO: ¡Cómo te saca de seso   685
tu amoroso pensamiento!

MARANDRO: Antes, despúes que le siento,
tengo más razón y peso.

LEONICIO: Eso ya está averiguado,
que el que sirviere al amor,   690
ha de ser, por su dolor,
con razón muy más pesado.

MARANDRO: De malicia u de agudeza
no escapa lo que dijiste.

LEONICIO: Tú mi agudeza entendiste,   695
mas yo entendí tu simpleza.

MARANDRO: ¿Qué simpleza? ¿Querer bien?

LEONICIO: Sí, al querer no se mide,
como la razón lo pide,
con cuándo, cómo y a quién.   700

MARANDRO: ¿Reglas quiés poner a amor?

LEONICIO: La razón puede ponellas.

---

668   *heraldo*, 'heraldo, mensajero de guerra'. El *Diccionario de Autoridades* señala el
carácter incorrecto de esta forma.
701   *quiés*, 'quieres'.

MARANDRO:	Razonables serán ellas,
	más no de mucho primor.
LEONICIO:	En la amorosa porfía,
	a razón no hay conocella.
MARANDRO:	Amor no va contra ella,
	aunque d'ella se desvía.
LEONICIO:	¿No es ir contra la razón,
	siendo tú tan buen soldado,
	andar tan enamorado
	en tan extraña ocasión?
	Al tiempo que del dios Marte
	has de pedir el favor,
	¿te entretienes con amor,
	quien mill blanduras reparte?
	¿Ves la patria consumida
	y de enemigos cercada,
	y tu memoria, burlada
	por amor, de ella se olvida?
MARANDRO:	En ira mi pecho se arde
	por ver que hablas sin cordura.
	¿Hizo el amor, por ventura,
	a ningún pecho cobarde?
	¿Dejé yo la centinela
	por ir donde está mi dama,
	o estoy durmiendo en la cama
	cuando mi capitán vela?
	¿Hasme visto tú faltar
	de lo que debo a mi oficio,
	para algún regalo o vicio
	ni menos por bien amar?
	Y si nada no has hallado
	de que debo dar disculpa,
	¿por qué me das tanta culpa
	de que sea enamorado?
	Y si de conversación
	me ves que ando siempre ajeno,
	mete la mano en tu seno.
	Verás si tengo razón.
	¿No sabes los muchos años
	que tras Lira ando perdido?

705

710

715

720

725

730

735

740

---

713   el dios de la guerra.

¿No sabes que era venido
el fin todo a nuestros daños,
porque su padre ordenaba   745
de dármela por mujer,
y que Lira su querer
con el mío concertaba?
También sabes que llegó
en tan dulce coyuntura   750
esta fuerte guerra dura,
por quien mi gloria cesó.
Dilatóse el casamiento
hasta acabar esta guerra,
porque no está nuestra tierra   755
para fiestas y contento.
Mira cuán poca esperanza
puedo tener de mi gloria,
pues está nuestra vitoria
toda en la enemiga lanza.   760
De la hambre fatigados,
sin medio de algún remedio,
tal muralla y foso en medio,
pocos y, esos, encerrados.
Pues como veo llevar   765
mis esperanzas del viento,
ando triste y descontento
ansí cual me ves andar.

LEONICIO: Sosiega, Marandro, el pecho.
Vuelve al brío que tenías.   770
Quizá que por otras vías
se ordena nuestro provecho
y Júpiter soberano
nos descubra buen camino,
por do el pueblo numantino   775
quede libre del romano,
y en dulce paz y sosiego
de tu esposa gozarás
y la llama templarás
de aquese amoroso fuego,   780
que para tener propicio
el gran Júpiter tonante,
hoy Numancia, en este istante,
le quiere hacer sacrificio.

Ya el pueblo viene y se muestra   785
con la víctimas e incienso.
¡Oh, Júpiter, padre imenso,
mira la miseria nuestra!

(Apártanse a un lado y salen dos numantinos vestidos como sacerdotes antiguos, y han de traer asido de los cuernos en medio un carnero grande, coronado de oliva y otras flores, y un paje con una fuente de plata y una toalla, y otro con un jarro de agua, y otros dos con dos jarros de vino, y otro con otra fuente de plata con un poco de incienso, y otros con fuego y leña, y otro que ponga una mesa con un tapete donde se ponga todo lo que hubiere en la comedia, en hábitos de numantinos; y luego los sacerdotes, dejando el uno el carnero de la mano, diga, y han de entrar TEÓGENES y muchos numantinos:)

SACERDOTE 1.º:Señales ciertas de dolores ciertos
se me han representado en el camino   790
y los canos cabellos tengo yertos.

SACERDOTE 2.º:Si acaso yo no soy mal adivino,
nunca con bien saldremos de esta impresa.
¡Ay, desdichado pueblo numantino!

SACERDOTE 1.º:Hagamos nuestro oficio con la priesa   795
que nos incitan los agüeros tristes.
Poned, amigos, hacia aquí esa mesa.

SACERDOTE 2.º:El vino, incienso y agua que trujistes
poneldo encima y apartaos afuera,
y arrepentiós de cuanto mal hicistes,   800
que la oblación mejor y la primera
que se ha de ofrecer al alto cielo,
es alma limpia y voluntad sincera.

SACERDOTE 1.º:El fuego no le hagáis vos en el suelo,
que aquí viene brasero para ello,   805
que así lo pide el religioso celo.

SACERDOTE 2.º:Lavaos las manos y limpiaos el cuello.
Dad acá el agua. ¿El fuego no se enciende?

NUMANTINO: No hay quien pueda, señores, encendello.

SACERDOTE 2.º:¡Oh, Júpiter! ¿Qué es esto que pretende   810
de hacer en nuestro daño el hado esquivo?
¿Cómo el fuego en la tea no se enciende?

NUMANTINO: Ya parece, señor, que está algo vivo.

795 *priesa,* 'prisa'.
798 *trujistes,* 'trajisteis'.

SACERDOTE 2.º:Quítate afuera. ¡Oh, flaca llama escura,
               qué dolor, en mirarte tal, recibo!   815
               ¿No miras cómo el humo se apresura
               a caminar al lado de poniente,
               y la amarilla llama, mal segura,
               sus puntas encamina hacia el oriente?
               ¡Desdichada señal, señal notoria   820
               que nuestro mal y daño está patente!
SACERDOTE 1.º:Aunque lleven romanos la vitoria
               de nuestra muerte, en humo ha de tornarse
               y en llamas vivas nuestra muerte y gloria.
SACERDOTE 2.º:Pues debe con el vino ruciarse   825
               el sacro fuego, dad acá ese vino
               y el incienso también que ha de quemarse.

*(Rocía el fuego con el vino a la redonda, y luego pone el incienso en
el fuego, y dice:)*

               Al bien del triste pueblo numantino
               endereza, ¡oh, gran Júpiter!, la fuerza
               propicia del contrario amargo sino.   830
               Ansí como este ardiente fuego fuerza
               a que en humo se vaya el sacro incienso,
               así se haga al enemigo fuerza
               para que humo, eterno padre inmenso,
               todo su bien, toda su gloria vaya,   835
               ansí como tu puedes y yo pienso.
               Tengan los cielos su poder a raya,
               ansí como esta víctima tenemos,
               y, lo que ella ha de haber, él también haya.
SACERDOTE 1.º:Mal responde el agüero. Mal podremos   840
               ofrecer esperanza al pueblo triste,
               para salir del mal que poseemos.

*(Hácese ruido debajo del tablado con un barril lleno de piedras, y
dispárese un cohete volador.)*

SACERDOTE 2.º:¿No oyes un ruido, amigo? Di, ¿no viste
               el rayo ardiente que pasó volando?
               Presagio verdadero de esto fuiste.   845

825 *ruciarse,* 'rociarse'.

SACERDOTE 1.º:Turbado estoy. De miedo estoy temblando.
¡Oh, qué señales! A lo que yo veo,
¡qué amargo fin están pronosticando!
¿No ves un escuadrón airado y feo
de unas águilas feas, que pelean   850
con otras aves en marcial rodeo?
SACERDOTE 2.º:Sólo su esfuerzo y su rigor emplean
en encerrar las aves en un cabo,
y con astucia y arte las rodean.
SACERDOTE 1,º:Tal señal vitupero y no la alabo.   855
¿Aguilas imperiales vencedoras?
¡Tú verás de Numancia presto el cabo!
SACERDOTE 2.º:Aguilas, de gran mal anunciadoras,
partíos, que ya el agüero vuestro entiendo.
a en efeto contadas son las horas.   860
SACERDOTE 1.º:Con todo, el sacrificio hacer pretendo
de esta inocente víctima, guardada
para pagar el dios del gesto horrendo.
SACERDOTE 2.º:¡Oh, gran Plutón, a quien, por suerte, dada
le fue la habitación del reino oscuro   865
y el mando en la infernal triste morada!
Ansí vivas en paz, cierto y seguro
de que la hija de la sacra Ceres
corresponda a tu amor con amor puro,
que todo aquello que en provecho vieres   870
venir del pueblo triste que te invoca,
lo allegues cual se espera de quien eres.
Atapa la profunda, escura boca
por do salen las tres fieras hermanas
a haceros el daño que nos toca,   875
y sean de dañarnos tan livianas
sus intenciones, que las lleve el viento,
como se lleva el pelo de estas lanas.

---

850 SB dice *¿Bees unas aguilas feas que pelean* y señala que es verso incorrecto. S da la forma que usamos, pero conservamos *feas* de M, en vez de *fieras*.
853 *cabo*, 'extremo'.
857 *cabo*, 'fin'.
863 Plutón, dios del infierno, fue considerado como personaje cuya vista causaba horror, a causa de su fealdad.
868 Proserpina.
872 Así en S. SB da *lallegues*, pero afirma que es mejor texto el de S.
873 *Atapa*, 'tapa'.
874 las tres Parcas.
876 *sian* en SB y M. Así en S.

.(Quita algunos pelos del carnero y échalos al aire.)

SACERDOTE 1.º:Y ansí como te baño y ensangriento
           este cuchillo en esta sangre pura,   880
           con alma limpia y limpio pensamiento,
           ansí la tierra de Numancia dura
           se bañe con la sangre de romanos,
           y aun los sirva también de sepoltura.

*(Sale por el güeco del tablado un demonio hasta el medio cuerpo, y
ha de arrebatar el carnero y volverse a disparar el fuego, y todos los
sacrificios.)*

SACERDOTE 2.º:Mas ¿quién me ha arrebatado de las manos   885
           la víctima? ¿Qué es esto, dioses santos?
           ¿Qué prodigios son estos tan insanos?
           ¿No os han enternecido ya los llantos
           d'este pueblo lloroso y afligido,
           ni la arpada voz de aquestos cantos?   890
           Antes creo que se han endurecido,
           cual pueden infirir en las señales
           tan fieras como aquí han acontecido.
           Nuestros vivos remedios son mortales;
           toda nuestra pereza es diligencia   895
           y los bienes ajenos, nuestros males.
NUMANTINO: En fin, dado han los cielos la sentencia
           de nuestro fin amargo y miserable.
           No nos quiere valer ya su clemencia.
           Lloremos, pues es fin tan lamentable,   900
           nuestra desdicha. Que la edad postrera
           d'él y de nuestras fuerzas siempre hable.
TEÓGENES: Marquino haga la experiencia entera
           de todo su saber, y sepa cuánto
           nos promete de mal la lastimera   905
           suerte, que ha vuelto nuestra risa en llanto.

(Vanse todos y quedan MARANDRO y LEONICIO.)

MARANDRO: Leonicio, ¿qué te parece?

---

890 *arpada*, de *arpar*, 'hacer tiras o pedazos, destrozar'.
892 *infirir*, 'inferir'.

	¿Han remedio nuestros males	
	con estas buenas señales	
	que aquí el cielo nos ofrece?	910
	Tendrá fin mi desventura	
	cuando se acabe la guerra,	
	que será cuando la tierra	
	me sirva de sepoltura.	
LEONICIO:	Marandro, al que es buen soldado	915
	agüeros no le dan pena,	
	que pone la suerte buena	
	en el ánimo esforzado,	
	y esas vanas apariencias	
	nunca le turban el tino.	920
	Su brazo es su estrella o sino;	
	su valor, sus influencias.	
	Pero si quieres creer	
	en este notorio engaño,	
	aun quedan, si no me engaño,	925
	experiencias más que hacer,	
	que Marquino las hará	
	las mejores de su ciencia,	
	y el fin de nuestra dolencia,	
	si es buena o mala, sabrá.	930
	Paréceme que la veo.	
MARANDRO:	¡En qué extraño traje viene!	
	Quien con feos se entretiene	
	no es mucho que venga feo.	
	¿Será acertado seguille?	935
LEONICIO:	Acertado me parece,	
	por si acaso se le ofrece	
	algo en que poder serville.	

(Aquí sale MARQUINO con una ropa de bocací grande y ancha, y una cabellera negra, y los pies descalzos, y la cinta trairá de modo que se le vean tres redomillas llenas de agua: la una negra, y la otra clara y la otra teñida con azafrán; y una lanza en la mano, teñida de negro, y en la otra un libro; y ha de venir otro con él, que se llama MILVIO. Y así como entran, se ponen a un lado LEONICIO y MARANDRO **.)

923   *influencias,* 'las virtudes y calidades de los astros'.
**   Seguimos el texto de M y SB, corrigiendo, según S, la última frase, que no es aceptable, por contradictoria. Dice así: *y quando entran Leonicio y Marandro, se apartan afuera Marquino y Milbio.*

MARQUINO:	¿Dó dices, Milvio, que está el joven triste?	
MILVIO:	En esta sepoltura está encerrado.	940
MARQUINO:	No yerres el lugar do le perdiste.	
MILVIO:	No, que con esta yedra señalado	
	dejé el lugar adonde el mozo tierno	
	fue con lágrimas tiernas enterrado.	
MARQUINO:	¿De qué murió?	
MILVIO:	Murió de mal gobierno.	945
	La flaca hambre le acabó la vida,	
	peste cruel salida del infierno.	
MARQUINO:	¿Al fin dices que ninguna herida	
	le cortó el hilo de el vital aliento,	
	ni fue cáncer ni llaga su homicida?	950
	Esto te digo, porque hace al cuento	
	de mi saber que esté este cuerpo entero,	
	organizado todo y en su asiento.	
MILVIO:	Habrá tres horas que le di el postrero	
	reposo y le entregué a la sepoltura.	955
	Y de hambre murió, como refiero.	
MARQUINO:	Está muy bien, y es buena coyuntura	
	lo que me ofrecen los propicios signos	
	para invocar de la región oscura	
	los feroces espíritus malinos.	960
	Presta atentos oídos a mis versos.	
	Fiero Plutón, que en la región oscura,	
	entre ministros de ánimos perversos,	
	te cupo de reinar suerte y ventura,	
	haz, aunque sean de tu gusto adversos,	965
	cumplidos mis deseos en la dura	
	ocasión que te invoco. No te tardes	
	ni a ser más oprimido de mí aguardes.	
	Quiero que al cuerpo que aquí está encerrado	
	vuelva el alma que le daba vida,	970
	aunque el fiero Carón del otro lado	
	la tenga en la ribera denegrida,	
	y aunque en las tres gargantas del airado	
	Cerbero esté penada y escondida.	

945   *gobierno*, 'sustento, mantenimiento'.
960   *malinos*, 'malignos'.
971   Carón o Caronte, en la mitología, estaba encargado de llevar en su barca a las
      almas al otro lado de la laguna Estigia y del río Aqueronte, de aguas negras que
      ennegrecen la orilla de la muerte.
974   Cerbero, el perro de tres bocas que custodiaba la entrada infernal.

Salga y torne a la luz del mundo nuestro,   975
que luego tornará al escuro vuestro.
Y, pues ha de salir, salga informada
del fin que ha de tener guerra tan cruda,
y d'esto no me encubra y calle nada,
ni me deje confuso y con más duda;   980
la plática de esta alma desdichada,
de toda ambigüidad libre y desnuda
tiene de ser. Envíala. ¿Qué esperas?
¿Esperas a que hable con más veras?
¿No desmovéis la piedra, desleales?   985
Decid, ministros falsos: ¿qué os detiene?
¿Cómo no me habéis dado ya señales
de que hacéis lo que digo y me conviene?
¿Buscáis con deteneros vuestros males,
o gustáis de que ya al momento ordene   990
de poner en efeto los conjuros
que ablanden vuestros fieros pechos duros?
Ea, pues, vil canalla mentirosa.
Aparejaos al duro sentimiento,
pues sabéis que mi voz es poderosa   995
de doblaros la rabia y el tormento.
Dime, traidor esposo de la esposa
que seis meses del año a su contento
está, sin duda, haciéndote cornudo,
¿por qué a mis peticiones estás mudo?   1000
Este hierro, bañado en agua clara
que al suelo no tocó en el mes de mayo,
herirá en esta piedra y hará clara
y patente la fuerza de este ensayo.

(Con el agua clara de la redomilla baña el hierro de la lanza, y luego
herirá en la tabla, y debajo suenan cohetes y hágase ruido.)

Ya parece, canalla, que a la clara   1005
dais muestras de que os toma cruel desmayo.

978   *cruda,* 'cruel'.
982   *ambigüidad,* 'ambigüedad'.
985   *desmovéis,* 'movéis'.
997   Plutón, soberano de los infiernos, raptor y esposo de Proserpina, quien además
      de reina infernal, era considerada como diosa de la fecundidad de la tierra. Por
      eso, cada seis meses de las profundidades del suelo, abandona a su marido y
      provoca la renovación de las plantas y la feracidad de la tierra.

236

¿Qué rumores son estos? ¡Ea, malvados,
que al fin venís, aunque venís forzados!
Levantad esta piedra, fementidos,
y descubrid el cuerpo que aquí yace.   1010
¿Qué es esto? ¿Qué tardáis? ¿A dó sois idos?
¿Cómo mi mando al punto no se hace?
¿No curáis de amenazas, descreídos?
Pues no esperéis que más os amenace.
Esta agua negra del estigio lago   1015
dará a vuestra tardanza presto pago.
Agua de la fatal negra laguna,
cogida en triste noche, escura y negra,
por el poder que en ti sola se aúna,
a quien otro poder ninguno quiebra,   1020
a la banda diabólica importuna
y a quien la primer forma de culebra
tomó, conjuro, apremio, pido y mando
que venga a obedecerme aquí volando.

(Rocía con agua negra la sepoltura, y ábrese.)

¡Oh, mal logrado mozo! Salí fuera;   1025
volved a ver el sol claro y sereno;
dejá aquella región do no se espera
en ella un día sosegado y bueno.
Dame, pues puedes, relación entera
de lo que has visto en el profundo seno,   1030
digo, de aquello a que mandado eres
y más, si el caso toca y tú pudieres.

(Sale el cuerpo amortajado, con un rostro de muerte, y va saliendo poco a poco, y, en saliendo, déjase caer en el tablado.)

¿Qué es esto? ¿No respondes? ¿No revives?
¿Otra vez has gustado de la muerte?
Pues yo haré que con tu pena avives   1035
y tengas el hablarme a buena suerte.
Pues eres de los míos, no te esquives

1008 *que aun sin benir aqui benis forçados,* en SB, pero afirman que es mejor lección
la de S, que reproducimos.
1022 La serpiente que, como encarnación del mal, fue motivo de condenación para
Adán y Eva.

de hablarme, responderme. Mira, advierte
que, si callas, haré que con tu mengua
sueltes la atada y enojada lengua.   1040

(Rocía el cuerpo con el agua amarilla, y luego le azotará.)

Espíritus malignos, ¿no aprovecha?
Pues esperá. Saldrá el agua encantada
que hará mi voluntad tan satisfecha
cuanto es la vuestra pérfida y dañada.
Y aunque esta carne fuera polvos hecha,   1045
siendo con este azote castigada,
cobrará nueva, aunque ligera, vida,
del áspero rigor suyo oprimida.
Alma rebelde, vuelve al aposento
que pocas horas ha desocupaste.   1050
Ya vuelves, ya lo muestras, ya te siento,
que, al fin, a tu pesar en él te entraste.

(En este punto se estremece el cuerpo, y habla:)

MUERTO: Cese la furia del rigor violento
              tuyo, Marquino. Baste, triste, baste
              lo que yo paso en la región oscura,   1055
              sin que tú crezcas más mi desventura.
              Engañaste si piensas que recibo
              contento de volver a esta penosa,
              mísera y corta vida que ahora vivo,
              que ya me va faltando presurosa.   1060
              Antes me causas un dolor esquivo,
              pues otra vez la muerte rigurosa
              triunfará de mi vida y de mi alma.
              Mi enemigo tendrá doblada palma,
              el cual, con otros del escuro bando,   1065
              de los que son sujetos a agradarte,
              están con rabia eterna aquí esperando
              a que acabe, Marquino, de informarte
              del lamentable fin, del mal infando
              que de Numancia puedo asegurarte,   1070
              la cual acabará a las mismas manos

1069   *infando*, 'torpe, indigno de que se hable de ello'.

238

de los que son a ella más cercanos.
No llevarán romanos la vitoria
de la fuerte Numancia, ni ella menos
tendrá de el enemigo triunfo o gloria,   1075
amigos y enemigos siendo buenos.
No entiendas que de paz habrá memoria,
que habrá albergue en sus contrarios senos.
El amigo cuchillo, el homicida
de Numancia será, y será su vida.   1080
Y quédate, Marquino, que los hados
no me conceden más hablar contigo.
Y aunque mis dichos tengas por trocados,
al fin saldrá verdad lo que te digo.

(En diciendo esto, se arroja el cuerpo en la sepoltura.)

MARQUINO: ¡Oh, tristes signos, signos desdichados!   1085
Si esto ha de suceder del pueblo amigo,
primero que mirar tal desventura,
mi vida acabe en esta sepoltura.

(Arrójase MARQUINO en la sepoltura.)

MARANDRO: Mira, Leonicio, si ves
por dó yo pueda decir   1090
que no me haya de salir
todo mi gusto al revés.
De toda nuestra ventura
cerrado está ya el camino;
si no, dígalo Marquino,   1095
el muerto y la sepoltura.
LEONICIO: Que todas son ilusiones,
quimeras y fantasías,
agüeros y hechicerías,
diabólicas invinciones.   1100
No muestres que tienes poca
ciencia en creer desconciertos,
que poco cuidan los muertos
de lo que a los vivos toca.
MARANDRO: Nunca Marquino hiciera   1105

1100 *invinciones,* 'invenciones'.

desatino tan extraño,
si nuestro futuro daño
como presente no viera.
Avisemos de este paso
al pueblo, que está mortal.   1110
Mas, para dar nueva tal,
¿quién podrá mover el paso?

JORNADA TERCERA

(Salen Cipión, y Yugurta y Mario, romanos.)

CIPIÓN: En forma estoy contento en mirar cómo
corresponde a mi gusto la ventura
y esta libre nación soberbia domo   1115
sin fuerzas, solamente con cordura.
En viendo la ocasión, luego la tomo,
porque sé cuánto corre y se apresura,
y si se pasa, en cosas de la guerra,
el crédito consume y vida atierra.   1120
Juzgábades a loco desvarío
tener los enemigos encerrados,
y que era mengua del romano brío
no vencellos con modos más usados.
Bien sé que lo habrán dicho, mas yo fío   1125
que, los que fueren pláticos soldados,
dirán que es de tener en mayor cuenta
la vitoria que menos ensangrienta.
¿Qué gloria puede haber más levantada,
en las cosas de guerra que aquí digo,   1130
que, sin quitar de su lugar la espada,
vencer y sujetar al enemigo?
Que, cuando la vitoria es granjeada
con la sangre vertida del amigo,
el gusto mengua que causar pudiera   1135
la que sin sangre tal ganada fuera.

1120   *atierra,* 'aterra'.
1121   *Juzgaua de esa el loco desuario,* en M y SB; reproducimos la lección de S, mejor
       a los ojos de SB; *juzgábades,* 'juzgabais'.
1126   *pláticos,* 'prácticos'.

240

(Tocan una trompeta del muro de Numancia.)

YUGURTA: Oye, señor, que de Numancia suena
el son de una trompeta, y me aseguro
que decirte algo desde allá se ordena,
pues el salir acá lo estorba el muro.   1140
Caravino se ha puesto en una almena
y una señal ha hecho de seguro.
Lleguémonos más cerca.

CIPIÓN: Ea, lleguemos.
No más, que desde aquí lo entenderemos.

(Pónese CARAVINO en la muralla, con una bandera o lanza en la mano, y dice:)

CARAVINO: ¡Romanos! ¡Ah, romanos! ¿Puede acaso   1145
ser de vosotros esta voz oída?

MARIO: Puesto que más la bajes y hables paso,
de cualquier tu razón será entendida.

CARAVINO: Decid al general que alargue el paso
al foso, porque viene dirigida   1150
a él una embajada.

CIPIÓN: Dila presto,
que yo soy Cipión.

CARAVINO: Escucha el resto.
Dice Numancia, general prudente,
que consideres bien que ha muchos años
que entre la nuestra y tu romana gente   1155
duran los males de la guerra extraños,
y que, por evitar que no se aumente
la dura pestilencia d'estos daños,
quiere, si tú quisieres, acaballa
con una breve y singular batalla.   1160
Un soldado se ofrece de los nuestros
a combatir, cerrado en estacada,
con cualquiera esforzado de los vuestros,
para acabar contienda tan trabada.
Y al que los hados fueren tan siniestros   1165
que allí le dejen sin la vida amada,
si fuere el nuestro, darémoste la tierra;
si el tuyo fuere, acábese la guerra.
Y por seguridad d'este concierto,

1147· Así en S, que es mejor lección que *mas abajas*, en M y SB.

241

daremos a tu gusto los rehenes.   1170
Bien sé que en él vendrás, porque estás cierto
de los soldados que a tu cargo tienes,
y sabes qu'el menor, a campo abierto,
hará sudar el pecho, rostro y sienes
al más aventajado de Numancia.   1175
Ansí que está segura tu ganancia.
Porque a la ejecución se venga luego,
respóndeme, señor, si estás en ello.

CIPIÓN: Donaire es lo que dices, risa y juego,
y loco el que piensa de hacello.   1180
Usad el medio del humilde ruego,
si queréis que se escape vuestro cuello
de probar el rigor y filos diestros
del romano cuchillo y brazos nuestros.
La fiera que en la jaula está encerrada   1185
por su selvatiquez y fuerza dura,
si puede allí con mano ser domada
y con el tiempo y medios de cordura,
quien la dejase libre y desatada
daría grandes muestras de locura.   1190
Bestias sois y, por tales, encerradas
os tengo donde habéis de ser domadas.
Mía será Numancia a pesar vuestro,
sin que me cueste un mínimo soldado,
y el que tenéis vosotros por más diestro,   1195
rompa por ese foso trincheado.
Y si en esto os parece que yo muestro
un poco mi valor acobardado,
el viento lleve agora esta vergüenza
y vuélvala la fama cuando venza.   1200

(Vanse CIPIÓN y los suyos, y dice CARAVINO:)

CARAVINO: ¿No escuchas más, cobarde? ¿Ya te ascondes?
¿Enfádate la igual, justa batalla?
Mal con tu nombradía correspondes.
Mal podrás de este modo sustentalla.
En fin, como cobarde me respondes.   1205

1186 *selvatoquez* es forma de dudosa autenticidad. Así la dan M y SB. Seguimos la
corrección de S.
1196 *trincheado*, 'atrincherado'.

Cobardes sois, romanos, vil canalla,
con vuestra muchedumbre confiados
y no en los diestros brazos levantados.
¡Pérfidos, desleales, fementidos,
crueles, revoltosos y tiranos,   1210
cobardes, indiciosos, mal nacidos,
pertinaces, feroces y villanos,
adúlteros, infames, conocidos
por de industriosas, mas cobardes manos.
¿Qué gloria alcanzaréis en darnos muerte,   1215
teniéndonos atados de esta suerte?
En formado escuadrón o manga suelta,
en la campaña rasa, do no pueda
estorbar la mortal fiera revuelta
el ancho foso y muro que la veda,   1220
será bien que, sin dar al pie la vuelta
y sin tener jamás la espada queda,
ese ejército mucho bravo vuestro
se viera con el poco flaco nuestro.
Mas, como siempre estáis acostumbrados   1225
a vencer con ventajas y con mañas,
estos conciertos, en valor fundados,
no los admiten bien vuestras marañas.
Liebres en pieles fieras disfrazados,
load y engrandeced vuestras hazañas,   1230
que espero en el gran Júpiter de veros
sujetos a Numancia y a sus fueros.

(Vase y torna a salir fuera con TEÓGENES *y* CARAVINO, *y* MARAN-
DRO *y otros.)*

TEÓGENES: En términos nos tiene nuestra suerte,
dulces amigos, que sería ventura
de acabar nuestros daños con la muerte.   1235
Por nuestro mal, por nuestra desventura,
vistes del sacrificio el triste agüero
y a Marquino tragar la sepoltura.

1211   *indicioso,* 'que sospecha'.
1214   *industriosos,* en M y SB. Así en S.
1217   *enjorado escuadrón* en M; *encerrado escuadrón* en S. SB corrige *formado* y acep-
       tamos la corrección, por seguir la lógica interna del texto; *manga,* 'partida o
       destacamento de gente armada'; *manga suelta* es lo contrario de 'escuadrón for-
       mado'.

El desafío no ha importado un cero.
¿De intentar qué me queda? No lo siento.   1240
Uno es aceptar el fin postrero.
Esta noche se muestre el ardimiento
del numantino acelerado pecho
y póngase por obra nuestro intento.
El enemigo muro sea deshecho.   1245
Salgamos a morir a la campaña
y no como cobardes en estrecho.
Bien sé que sólo sirve esta hazaña
de que a nuestro morir se mude el modo,
que con ella la muerte se acompaña.   1250

CARAVINO: Con este parecer yo me acomodo.
Morir quiero rompiendo el fuerte muro
y deshacello por mi mano todo,
mas tiéneme una cosa mal siguro:
que si nuestras mujeres saben esto,   1255
de que no haremos nada os aseguro.
Cuando otra vez tuvimos presupuesto
de huirnos y dejallas, cada uno
fiado en su caballo y vuelo presto,
ellas, que el trato a ellas importuno   1260
supieron, al momento nos robaron
los frenos, sin dejarnos sólo uno.
Entonces el huir nos estorbaron
y ansí lo harán agora fácilmente,
si las lágrimas muestran que mostraron.   1265

MARANDRO: Nuestro disinio a todas es patente.
Todas lo saben ya y no queda alguna
que no se queje d'ello amargamente.
Y dicen que, en la buena o ruin fortuna,
quieren en vida o muerte acompañaros,   1270
aunque su compañía os sea importuna.

*(Entran cuatro mujeres de Numancia, cada una con un niño en bra-
zos y otros de las manos, y LIRA, doncella.)*

Veislas aquí do vienen a rogaros
no las dejéis en tantos embarazos.

1254 *tienen* en M y SB. Así en S.
1266 *disinio*, 'designio'.

244

	Aunque seáis de acero, han de ablandaros.	
	Los tiernos hijos vuestros en los brazos	1275
	las tristes traen. ¿No veis con qué señales	
	de amor les dan los últimos abrazos?	
MUJER 1.ª:	Dulces señores míos, tras cien males	
	hasta aquí de Numancia padecidos,	
	que son menores los que son mortales,	1280
	y en los bienes también que ya son idos,	
	siempre mostramos ser mujeres vuestras	
	y vosotros también nuestros maridos.	
	¿Por qué, en las ocasiones tan siniestras	
	que el cielo airado agora nos ofrece,	1285
	nos dais de aquel amor tan cortas muestras?	
	Hemos sabido, y claro se parece,	
	que en las romanas manos arrojaros	
	queréis, pues su rigor menos empece	
	que no la hambre de que veis cercaros,	1290
	de cuyas flacas manos desabridas	
	por imposible tengo el escaparos.	
	Peleando queréis dejar las vidas	
	y dejarnos también desamparadas,	
	a deshonras y a muertes ofrecidas.	1295
	Nuestro cuello ofreced a las espadas	
	vuestras primero, que es mejor partido	
	que vernos de enemigos deshonradas.	
	Yo tengo en mi intención instituido	
	que, si puedo, haré cuanto en mí fuere	1300
	por morir do muriere mi marido.	
	Esto mismo hará la que quisiere	
	mostrar que no los miedos de la muerte	
	estorban de querer a quien bien quiere,	
	en buena o en mala, dulce, alegre suerte.	1305
MUJER 2.ª:	¿Qué pensáis, varones claros?	
	¿Revolvéis aun todavía	
	en la triste fantasía	
	de dejarnos y ausentaros?	
	¿Queréis dejar, por ventura,	1310
	a la romana arrogancia	
	las vírgenes de Numancia	

1289 *empece*, 'daña, causa perjuicio'.
1291 *desabridas*, 'ásperas, desapacibles'.

para mayor desventura?
¿Y a los libres hijos vuestros
queréis esclavos dejallos?   1315
¿No será mejor ahogallos
con los propios brazos vuestros?
¿Queréis hartar el deseo
de la romana codicia
y que triunfe su injusticia   1320
de nuestro justo trofeo?
¿Serán por ajenas manos
nuestras casas derribadas?
Y las bodas esperadas
¿hanlas de gozar romanos?   1325
En salir haréis error
que acarrea cien mil yerros,
porque dejáis sin los perros
el ganado, y sin señor.
Si al foso queréis salir,   1330
llevadnos en tal salida,
porque tendremos por vida
a vuestros lados morir.
No apresuréis el camino
al morir, porque su estambre   1335
cuidado tiene la hambre
de cercenarla contino.

MUJER 3.ª: Hijos de estas tristes madres,
¿qué es esto? ¿Cómo no habláis
y con lágrimas rogáis   1340
que no os dejen vuestros padres?
Basta que la hambre insana
os acabe con dolor,
sin esperar el rigor
de la aspereza romana.   1345
Decildes que os engendraron
libres y libres nacistes,
y que vuestras madres tristes
también libres os criaron.
Decildes que, pues la suerte   1350
nuestra va tan decaída,
que, como os dieron la vida,

1335   *estambre*, 'el hilo de la vida'.

ansimismo os den la muerte.
¡Oh, muros de esta ciudad!
Si podéis hablar, decid   1355
y mill veces repitid:
«¡Numantinos, libertad
los templos, las casas vuestras,
levantadas en concordia!
Hoy piden misericordia   1360
hijos y mujeres vuestras.
Ablandad, caros varones,
esos pechos diamantinos
y mostrad, cual numantinos,
amorosos corazones,   1365
que no por romper el muro
se remedia un mal tamaño;
antes en ello está el daño
más propincuo y más seguro.

LIRA: También las tristes doncellas   1370
ponen en vuestra defensa
el remedio de su ofensa
y el alivio a sus querellas.
No dejéis tan ricos robos
a las cudiciosas manos.   1375
Mirad que son los romanos
hambrientos y fieros lobos.
Desesperación notoria
es esta que hacer queréis,
adonde sólo hallaréis   1380
breve muerte y larga gloria.
Mas, ya que salga mejor
que yo pienso esta hazaña,
¿qué ciudad hay en España
que quiera daros favor?   1385
Mi pobre ingenio os advierte
que, si hacéis esta salida,
al enemigo dais vida
y a toda Numancia muerte.
De vuestro acuerdo gentil   1390
los romanos burlarán.

1356   *repitid*, 'repetid'.
1369   *propincuo*, 'cercano'.
1375   *cudiciosas*, 'codiciosas'.

Pero, decidme: ¿qué harán
tres mill con ochenta mill?
Aunque tuviesen abiertos
los muros y su defensa,   1395
seríades con ofensa
mal vengados y bien muertos.
Mejor es que la ventura
o el daño que el cielo ordene,
o nos salve o nos condene   1400
de la vida o sepoltura.

TEÓGENES: Limpiad los ojos húmidos del llanto,
mujeres tiernas, y tené entendido
que vuestra angustia la sentimos tanto,
que responde al amor nuestro subido   1405
Ora crezca el dolor, ora el quebranto
sea por nuestro bien disminuido,
jamás en muerte o vida os dejaremos;
antes en muerte o vida os serviremos.
Pensábamos salir al foso, ciertos   1410
antes de allí morir que de escaparnos,
pues fuera quedar vivos aunque muertos,
si, muriendo, pudiéramos vengarnos.
Mas, pues nuestros disinios descubiertos
han sido, y es locura aventurarnos,   1415
amados hijos y mujeres nuestras,
nuestras vidas serán de hoy más las vuestras.
Sólo se ha de mirar que el enemigo
no alcance de nosotros triunfo o gloria;
antes ha de servir él de testigo   1420
que apruebe y determine la historia.
Y si todos venís en lo que digo,
mill siglos durará nuestra memoria,
y es que no quede cosa aquí en Numancia
de do el contrario pueda hacer ganancia.   1425

1393   Ambrosio de Morales, en la *Crónica general*, afirma que unos autores hablan de
       60 y otros de 40.000 hombres. En Numancia, según el mismo Morales, había un
       máximo de 8.000 hombres. El citado autor afirma que otras fuentes hablan de la
       mitad.
1396   *seríades*, 'seríais'.
1402   *húmidos*, 'húmedos'.
1403   *tené*, 'tened'.
1414   *desinios*, 'designios'.
1417   *de hoy más*, 'desde hoy, desde ahora'.

248

En medio de la plaza se haga un fuego,
en cuya ardiente llama licenciosa
nuestras riquezas todas se echen luego,
desde la pobre a la más rica cosa.
Y esto podréis tener a dulce juego,   1430
cuando os declare la intención honrosa
que se ha de efetuar, después que sea
abrasada cualquier rica presea.
Y para entretener por algún hora
la hambre que ya roe nuestros güesos,   1435
haréis descuartizar luego a la hora
esos tristes romanos que están presos,
y sin del chico al grande hacer mejora,
repártanse entre todos, que con esos
será nuestra comida celebrada   1440
por España cruel, necesitada.

CARAVINO: Amigos, ¿qué os parece? ¿Estáis en esto?
Digo que a mí me tiene satisfecho
y que a la ejecución se venga presto
de un tan extraño y tan honroso hecho.   1445

TEÓGENES: Pues yo de mi intención os diré el resto.
Después que sea lo que digo hecho,
vamos a ser ministros todos luego
de encender el ardiente y rico fuego.

MUJER 1.ª: Nosotras, desde aquí, ya comenzamos   1450
a dar con voluntad nuestros arreos.
Y a las vuestras las vidas entregamos
como se han entregado los deseos.

LIRA: Pues caminemos presto. Vamos, vamos.
Y abrásense en un punto los trofeos   1455
que pudieran hacer ricas las manos
y aun hartar la codicia de romanos.

*(Vanse todos y, al irse, MARANDRO ase a LIRA de la mano, y ella se
detiene, y entra LEONICIO y apártase a un lado y no lo ven, y dice:)*

MARANDRO: No vayas tan de corrida,
Lira. Déjame gozar
del bien que me puede dar   1460

1435   *güesos*, 'huesos'.
1441   S reemplaza *España* por *extraña*.
1450   *desde aquí*, 'desde ahora'.

en la muerte alegre vida.
Deja que miren mis ojos
un rato tu hermosura,
pues tanto mi desventura
se entretiene en mis enojos.   1465
¡Oh, dulce Lira, que suenas
contino en mi fantasía
con tan suave agonía
que vuelve en gloria mis penas!
¿Qué tienes? ¿Qué estás pensando,   1470
gloria de mi pensamiento?

LIRA: Pienso cómo mi contento
y el tuyo se va acabando.
Y no será su homicida
el cerco de nuestra tierra,   1475
que primero que la guerra
se me acabará mi vida.

MARANDRO: ¿Qué dices, bien de mi alma?

LIRA: Que me tiene tal la hambre,
que de mi vital estambre   1480
llevará presto la palma.
¿Qué tálamo has de esperar
de quien está en tal extremo,
que te aseguro que temo
antes de un hora expirar?   1485
Mi hermano ayer expiró
de la hambre fatigado.
Mi madre ya ha acabado,
que la hambre la acabó.
Y si la hambre y su fuerza   1490
no ha rendido mi salud,
es porque la juventud
contra su rigor me esfuerza;
pero, como ha tantos días
que no le hago defensa,   1495
no pueden contra su ofensa
las débiles fuerzas mías.

MARANDRO: Enjuga, Lira, los ojos.
Deja que los tristes míos

1480   *vital estambre*, 'el hilo de la vida'.
1491   *no ay remedio ni salud*, en M y SB. Así en S.

se vuelvan corrientes ríos, 1500
nacidos de tus enojos.
Y aunque la hambre ofendida
te tenga tan sin compás,
de hambre no morirás
mientras yo tuviere vida. 1505
Yo me ofrezco de saltar
el foso y el muro fuerte,
y entrar por la misma muerte
para la tuya excusar.
El pan que el romano toca, 1510
sin que el temor me destruya,
le quitaré de la suya
para ponello en tu boca.
Con mi brazo haré carrera
a tu vida y a mi muerte, 1515
porque más me mata el verte,
señora, de esa manera.
Yo te trairé de comer
a pesar de los romanos,
si ya son estas mis manos 1520
las mismas que solían ser.

LIRA: Hablas como enamorado,
Marandro, pero no es justo
que tome gusto del gusto
por tu peligro comprado. 1525
Poco podrá sustentarme
cualquier robo que harás,
aunque más cierto hallarás
el perderme que el ganarme.
Goza de tu mocedad, 1530
en sanidad ya crecida,
que más importa tu vida
que la mía en la ciudad.
Tú podrás bien defendella
de la enemiga asechanza, 1535
que no la flaca pujanza
d'esta tan triste doncella.
Ansí que, mi dulce amor,

1500 *bueluen*, en M y SB. Así en S.
1514 *carrera*, 'camino'.
1518 *trairé*, 'traeré'.

	despide ese pensamiento,	
	que yo no quiero sustento	1540
	ganado con tu sudor,	
	que, aunque puedas alargar	
	mi muerte por algún día,	
	esta hambre que porfía	
	al fin nos ha de acabar.	1545
MARANDRO:	En vano trabajas, Lira,	
	de impedirme este camino,	
	do mi voluntad y sino	
	allá me convida y tira.	
	Tú rogarás entretanto	1550
	a los dioses que me vuelvan	
	con despojos que resuelvan	
	tu miseria y mi quebranto.	
LIRA:	Marandro, mi dulce amigo,	
	no vayas, que se me antoja	1555
	que de tu sangre veo roja	
	la espada del enemigo.	
	No hagas esta jornada,	
	Marandro, bien de mi vida,	
	que, si es mala la salida,	1560
	muy peor será la entrada.	
	Si quiero aplacar tu brío,	
	por testigo pongo al cielo	
	que de tu daño recelo	
	y no del provecho mío.	1565
	Mas si acaso, amado amigo,	
	prosigues esta contienda,	
	lleva este abrazo por prenda	
	de que me llevas contigo.	
MARANDRO:	Lira, el cielo te acompañe.	1570
	Vete, que a Leonicio veo.	
LIRA:	Y a ti cumpla tu deseo	
	y en ninguna cosa dañe.	

(Vase LIRA, y dice LEONICIO:)

LEONICIO:	Terrible ofrecimiento es el que has hecho,

1555 *¡ay! no bays*, en M y SB. Así en S.
1558 *jornada*, 'expedición'.

252

y en él, Marandro, se nos muestra claro   1575
que no hay cobarde enamorado pecho,
aunque de tu virtud y valor raro
debe más esperarse. Mas yo temo
que el hado infeliz se nos muestra avaro.
He estado atento al miserable extremo   1580
que te ha dicho Lira en que se halla,
indigno, cierto, a su valor supremo,
y que tu has prometido de libralla
d'este presente año y arrojarte
en las armas romanas a batalla.   1585
Yo quiero, buen amigo, acompañarte
y, en impresa tan justa y tan forzosa,
con mis pequeñas fuerzas ayudarte.

MARANDRO: ¡Oh, amistad de mi alma venturosa!
¡Oh, amistad no en trabajos dividida   1590
ni en la ocasión más próspera y dichosa!
Goza, Leonicio, de la dulce vida.
Quédate en la ciudad, que yo no quiero
ser de tus verdes años homicida.
Yo solo tengo de ir. Yo solo espero   1595
volver con los despojos merecidos
a mi inviolable fe y amor sincero.

LEONICIO: Pues ya tienes, Marandro, conocidos
mis deseos, que, en buena o mala suerte,
al sabor de los tuyos van medidos,   1600
sabrás que ni los medios de la muerte
de ti me apartarán un solo punto,
ni otra cosa, si la hay, que sea más fuerte.
¡Contigo tengo de ir, contigo junto
he de volver, si el cielo no ordena   1605
que quede en tu defensa allá difunto!

MARANDRO: Quédate, amigo. Queda en hora buena,
porque, si yo acabare aquí la vida
en esta impresa de peligros llena,
que puedas a mi madre dolorida   1610
consolarla en el trance riguroso,
y a la esposa de mí tanto querida.

LEONICIO: Cierto que estás, amigo, muy donoso
en pensar que, en tu muerte, quedaría
yo con tal quietud y tal reposo,   1615
que de consuelo alguno serviría

a la doliente madre y triste esposa.
Pues en la tuya está la muerte mía,
segura tengo la ocasión dudosa.
Mira cómo ha de ser, Marandro amigo,   1620
y en el quedarme no me hables cosa.

MARANDRO: Pues no puede estorbarte el ir conmigo,
en el silencio de esta noche escura
tenemos de saltar al enemigo.
Lleva ligeras armas, que ventura   1625
es la que ha de ayudar al alto intento,
que no la malla entretejida y dura.
Lleva asimismo puesto el pensamiento
en robar y traer a buen recado
lo que pudieres más de bastimento.   1630

LEONICIO: Vamos, que no saldré de tu mandado.

(Vanse y salen dos numantinos.)

NUMANTINO 1.º:¡Derrama, dulce hermano, por los ojos
el alma, en llanto amargo convertida!
¡Venga la muerte y lleve los despojos
de nuestra miserable y triste vida!   1635

NUMANTINO 2.º:Bien poco durarán estos enojos,
que ya la muerte viene apercibida
para llevar en presto y breve vuelo
a cuantos pisan de Numancia el suelo.
Principios veo que prometen presto   1640
amargo fin a nuestra dulce tierra,
sin que tengan cuidado de hacer esto
los contrarios ministros de la guerra.
Nosotros mesmos, a quien ya es molesto
y enfadoso el vivir que nos atierra,   1645
hemos dado sentencia inrevocable
de nuestra muerte, aunque cruel, loable.
En la plaza mayor, ya levantada
queda una ardiente y cudiciosa hoguera,
que, de nuestras riquezas menistrada,   1650
sus llamas suben a la cuarta esfera.

1629   *recado*, 'recaudo'.
1645   *atierra*, 'aterra'.
1649   *cudiciosa*, 'codiciosa'; *un*, en M y SB. Así en S.
1650   *menistrada*, de *menistrar*, 'ministrar, dar, suministrar a uno algo'.

Allí, con triste priesa acelerada
y con mortal y tímida carrera,
acuden todos, como santa ofrenda,
a sustentar las llamas con su hacienda.   1655
Allí las perlas del rosado oriente,
y el oro en mill vasijas fabricado,
y el diamante y rubí más excelente,
y la estimada púrpura y brocado
en medio del rigor fogoso ardiente   1660
de la encendida llama se ha arrojado;
despojos do pudieran los romanos
hinchir los senos y ocupar las manos.

(Aquí salen con cargas de ropa por una parte y éntranse por otra.)

Vuelve al triste espectáculo la vista.
Verás con cuánta priesa y cuánta gana   1665
toda Numancia, en numerosa vista,
aguija a sustentar la llama insana,
y no con verde leño o seca arista,
no con materia al consumir liviana,
sino con sus haciendas mal gozadas,   1670
pues se guardaron para ser quemadas.
NUMANTINO 1.º:Si con esto acabara nuestro daño,
pudiéramos llevallo con paciencia.
Mas, ¡ay!, que se ha de dar, si no me engaño,
de que muramos todos cruel sentencia.   1675
Primero que el rigor bárbaro, extraño,
muestre en nuestras gargantas su inclemencia,
verdugos de nosotros nuestras manos
serán, y no los pérfidos romanos.
Han ordenado que no quede alguna   1680
mujer, niño ni viejo con la vida,
pues, al fin, la cruel hambre importuna
con más fiero rigor es su homicida.
Mas ves allí a dó asoma, hermano, una
que, como sabes, fue de mí querida   1685

1652 *priesa*, 'prisa'.
1662 *que pudieran*, en M y SB. Así en S.
1663 *hinchir*, 'henchir'.
1664 El verso falta en M. Está en S y SB.
1665 *priesa*, 'prisa'.

un tiempo, con extremo tal de amores,
cual es el que ella tiene de dolores.

(Sale una mujer con una criatura en los brazos y otra de la mano, y ropa para echar en el fuego.)

MADRE:	¡Oh, duro vivir molesto!	
	¡Terrible y triste agonía!	
HIJO:	Madre, ¿por ventura habría	1690
	quien nos diese pan por esto!	
MADRE:	¿Pan, hijo? ¡Ni aun otra cosa	
	que semeje de comer!	
HIJO:	¿Pues tengo de fenecer	
	de dura hambre rabiosa?	1695
	Con poco pan que me deis,	
	madre, no os pediré más.	
MADRE:	¡Hijo, qué pena me das!	
HIJO:	¿Por qué, madre, no queréis?	
MADRE:	Sí quiero, mas ¿qué haré,	1700
	que no sé dónde buscallo?	
HIJO:	Bien podréis, madre, comprallo.	
	Si no, yo lo compraré.	
	Mas, por quitarme de afán,	
	si alguno conmigo topa,	1705
	le daré toda esta ropa	
	por un pedazo de pan.	
MADRE:	¿Qué mamas, triste criatura?	
	¿No sientes que, a mi despecho,	
	sacas ya del flaco pecho,	
	por leche, la sangre pura?	1710
	Lleva la carne a pedazos	
	y procura de hartarte,	
	que no pueden ya llevarte	
	mis flacos, cansados brazos.	1715
	Hijos, mi dulce alegría,	
	¿con qué os podré sustentar,	
	si apenas tengo que os dar	
	de la propia sangre mía?	
	¡Oh, hambre terrible y fuerte,	1720
	cómo me acabas la vida!	
	¡Oh, guerra, sólo venida	
	para causarme la muerte!	

HIJO: ¡Madre mía, que me fino!
               Aguijemos. ¿A dó vamos,   1725
               que parece que alargamos
               la hambre con el camino?
MADRE: Hijo, cerca está la plaza
               adonde echaremos luego
               en mitad del vivo fuego   1730
               el peso que te embaraza.

(Vase la mujer y el niño, y quedan los dos:)

NUMANTINO 2.º:Apenas puede ya mover el paso
               la sin ventura madre desdichada,
               que, en tan extraño y lamentable caso,
               se ve de dos hijuelos rodeada.   1735
NUMANTINO 1.º:Todos, al fin, al doloroso paso
               vendremos de la muerte arrebatada.
               Mas moved vos, hermano, agora el vuestro,
               a ver qué ordena el gran Senado nuestro.

JORNADA CUARTA

*(Tocan al arma con gran priesa, y a este rumor sale CIPIÓN, y YU-
GURTA y MARIO, alborotados.)*

CIPIÓN: ¿Qué es esto, capitanes? ¿Quién nos toca   1740
               al arma en tal sazón? ¿Es, por ventura,
               alguna gente desmandada y loca,
               que viene a demandar su sepoltura?
               Mas no sea algún motín el que provoca
               tocar al arma en recia coyuntura,   1745
               que tan seguro estoy del enemigo,
               que tengo más temor al que es amigo.

(Sale QUINTO FABIO con la espada desnuda, y dice:)

QUINTO FABIO: Sosiega el pecho, general prudente,
               que ya de esta arma la ocasión se sabe,
               puesto que ha sido a costa de tu gente,   1750
               de aquella en quien más brío y fuerza cabe.

1751 *aquel.* cn M y SB. Así en S.

Dos numantinos, con soberbia frente,
cuyo valor será razón se alabe,
saltando el ancho foso y la muralla,
han movido a tu campo cruel batalla.   1755
A las primeras guardas embistieron
y en medio de mill lanzas se arrojaron,
y con tal furia y rabia arremetieron,
que libre paso al campo les dejaron.
Las tiendas de Fabricio acometieron,   1760
y allí su fuerza y su valor mostraron
de modo, que en un punto seis soldados
fueron de agudas puntas traspasados.
No con tanta presteza el rayo ardiente
pasa rompiendo el aire en presto vuelo,   1765
ni tanto la cometa reluciente
se muestra y apresura por el cielo,
como estos dos por medio de tu gente
pasaron, colorando el duro suelo
con la sangre romana que sacaban   1770
sus espadas, doquiera que llegaban.
Queda Fabricio traspasado el pecho.
Abierta la cabeza tiene Eracio.
Olmída ya perdió el brazo derecho
y de vivir le queda poco espacio.   1775
Fuele ansimismo poco de provecho
la ligereza al valeroso Estacio,
pues el correr al numantino fuerte
fue abreviar el camino de la muerte.
Con presta diligencia discurriendo   1780
iban de tienda en tienda, hasta que hallaron
un poco de bizcocho, el cual cogiendo,
el paso, y no el furor, atrás tornaron.
El uno de ellos se escapó huyendo.
Al otro mill espadas le acabaron.   1785
Por donde infiero que la hambre ha sido
quien les dio atrevimiento tan subido.

CIPIÓN: Si, estando deshambridos y encerrados,
muestran tan demasiado atrevimiento,
¿qué hicieran siendo libres y enterados   1790

1753 Este verso falta en M.
1788 *deshambridos*, 'muy hambrientos'.
1790 *enterados*, de *enterar*, 'completar, dar integridad a una cosa'.

258

en sus fuerzas primeras y ardimiento?
¡Indómitos! ¡Al fin seréis domados,
porque contra el furor vuestro violento
se tiene de poner la industria nuestra,
que de domar soberbios es maestra!   1795

*(Vanse todos y sale MARANDRO, herido y lleno de sangre, con una
cesta de pan.)*

MARANDRO: ¿No vienes, Leonicio? Di,
               ¿qué es esto, mi dulce amigo?
               Si tú no vienes conmigo,
               ¿cómo vengo yo sin ti?
               Amigo que te has quedado,   1800
               amigo que te quedaste,
               no eres tú el que me dejaste,
               sino yo el que te he dejado.
               ¿Que es posible que ya dan
               tus carnes despedazadas   1805
               señales averiguadas
               de lo que cuesta este pan,
               y es posible que la herida
               que a ti te dejó difunto,
               en aquel instante y punto   1810
               no me acabó a mí la vida?
               No quiso el hado cruel
               acabarme en paso tal,
               por hacerme a mí más mal
               y hacerte a ti más fiel.   1815
               Tú, al fin, llevarás la palma
               de más verdadero amigo.
               Yo a desculparme contigo
               enviaré presto el alma,
               y tan presto, que el afán   1820
               a morir me lleva y tira,
               en dando a mi dulce Lira
               este tan amargo pan.
               Pan ganado de enemigos,
               pero no ha sido ganado,   1825
               sino con sangre comprado
               de dos sin ventura amigos.

(Sale LIRA con alguna ropa para echalla en el fuego, y dice:)

LIRA:	¿Qué es esto que ven mis ojos?	
MARANDRO:	Lo que presto no verán,	
	según la priesa se dan	1830
	de acabarme mis enojos.	
	Ves aquí, Lira, cumplida	
	mi palabra y mis porfías	
	de que tú no morirías	
	mientras yo tuviese vida.	1835
	Y aun podré mejor decir	
	que presto vendrás a ver	
	que a ti te sobra el comer	
	y a mí me falta el vivir.	
LIRA:	¿Qué dices, Marandro amado?	1840
MARANDRO:	Lira, que acates la hambre,	
	entretanto que la estambre	
	de mi vida corta el hado.	
	Pero mi sangre vertida	
	y con este pan mezclada,	1845
	te ha de dar, mi dulce amada,	
	triste y amarga comida.	
	Ves aquí el pan que guardaban	
	ochenta mill enemigos,	
	que cuesta de dos amigos	1850
	las vidas que más amaban.	
	Y porque lo entiendas cierto	
	y cuánto tu amor merezco,	
	ya yo, señora, perezco	
	y Leonicio está ya muerto.	1855
	Mi voluntad sana y justa	
	recíbela con amor,	
	que es la comida mejor	
	y de que el alma más gusta.	
	Y pues en tormento y calma	1860
	siempre has sido mi señora,	
	recibe este cuerpo agora	
	como recibiste el alma.	

1830 *priesa*, 'prisa'.
1833 *mis palabras y porfías*, en M y SB. Así en S.
1842 *estambre*, 'el hilo de la vida'.

260

(Cáese muerto y recógele en las faldas o regazo LIRA.)

LIRA: ¡Marandro, dulce bien mío!
                ¿Qué sentís, o qué tenéis?   1865
                ¿Cómo tan presto perdéis
                vuestro acostumbrado brío?
                Mas, ¡ay triste, sin ventura,
                que ya está muerto mi esposo!
                ¡Oh, caso el más lastimoso   1870
                que se vio en la desventura!
                ¿Qué os hizo, dulce amado,
                con valor tan excelente,
                enamorado y valiente
                y soldado desdichado?   1875
                Hicistes una salida,
                esposo mío, de suerte
                que, por excusar mi muerte,
                me habéis quitado la vida.
                ¡Oh, pan, de la sangre lleno   1880
                que por mí se derramó!
                No te tengo en cuenta, no,
                de pan, sino de veneno.
                No te llegaré a mi boca
                por poderme sustentar,   1885
                si no es para besar
                esta sangre que te toca.

(Entra un muchacho, hermano de LIRA, hablando desmayada-mente.)

MUCHACHO: Lira, hermana, ya expiró
                mi madre, y mi padre está
                en términos que ya, ya   1890
                morirá, cual muero yo.
                La hambre le ha acabado.
                Hermana mía, ¿pan tienes?
                ¡Oh, pan, y cuán tarde vienes,
                que no hay ya pasar bocado!   1895
                Tiene la hambre apretada

1876   *Hicistes,* 'hicisteis'.
1891   *que muero,* en M y SB. Así en S.
1895   *no hay ya,* 'no es posible'.

mi garganta en tal manera,
que, aunque este pan agua fuera,
no pudiera pasar nada.
Tómalo, hermana querida,   1900
que, por más crecer mi afán,
veo que me sobra el pan
cuando me falta la vida.

(Cáese muerto.)

LIRA: ¿Expiraste, hermano amado?
                  Ni aliento ni vida tiene.   1905
                  Bueno es el mal, cuando viene
                  sin venir acompañado.
                  Fortuna, ¿por qué me aquejas
                  con un daño y otro junto,
                  y por qué, en un solo punto,   1910
                  güérfana y viuda me dejas?
                  ¡Oh, duro escuadrón romano!
                  ¡Cómo me tiene tu espada
                  de dos muertos rodeada,
                  uno esposo y otro hermano!   1915
                  ¿A cuál volveré la cara
                  en este trance importuno,
                  si en la vida cada uno
                  fue prenda del alma cara?
                  Dulce esposo, hermano tierno,   1920
                  yo os igualaré en quereros,
                  porque pienso presto veros
                  en el cielo o en el infierno.
                  En el modo de morir
                  a entrambos he de imitar,   1925
                  porque el hierro ha de acabar
                  y la hambre mi vivir.
                  Primero daré a mi pecho
                  una daga que este pan,
                  que a quien vive con afán,   1930
                  es la muerte de provecho.
                  ¿Qué aguardo? ¡Cobarde estoy!
                  Brazo, ¿ya os habéis turbado?

1911   *güérfana,* 'huérfana'.

                    ¡Dulce esposo, hermano amado,
                    esperadme, que ya voy!   1935

*(Sale una mujer huyendo, y tras ella un soldado numantino con una
daga para matalla.)*

MUJER: ¡Eterno padre, Júpiter piadoso,
                    favorecedme en tan adversa suerte!
SOLDADO: Aunque más lleves vuelo presuroso,
                    mi dura mano te dará la muerte.

(Entrase la mujer.)

LIRA: El hierro duro, el brazo belicoso   1940
                    contra mí, buen soldado, le convierte.
                    Deja vivir a quien la vida agrada
                    y quítame la mía, que me enfada.
SOLDADO: Puesto que es decreto del Senado
                    que ninguna mujer quede con vida,   1945
                    ¿cuál será el brazo o pecho acelerado
                    que en ese hermoso vuestro dé herida?
                    Ya, señora, no soy tan mal mirado
                    que me precie de ser vuestro homicida.
                    Otra mano, otro hierro ha de acabaros,   1950
                    que yo sólo nací para adoraros.
LIRA: Esa piedad que quies usar conmigo,
                    valeroso soldado, yo te juro,
                    y al alto cielo pongo por testigo,
                    que ya la estimo por rigor muy duro.   1955
                    Tuviérate yo entonces por amigo,
                    cuando, con pecho y ánimo seguro,
                    este mío afligido traspasaras
                    y de la amiga vida me privaras.
                    Pero, pues quies mostrarte pïadoso,   1960
                    tan en daño, señor, de mi contento,
                    muéstralo agora en que a mi triste esposo
                    demos el funeral y último asiento.
                    También a este mi hermano, que en reposo
                    yace, ya libre del vital aliento.   1965

1941   *convierte,* 'vuelve'.
1952   *quies,* 'quieres'.
1960   *quies,* 'quieres'.

	Mi esposo feneció por darme vida.	
	De mi hermano, la hambre fue homicida.	
SOLDADO:	Hacer yo lo que mandas está llano,	
	con condición que en el camino cuentes	
	quién a tu buen esposo y caro hermano	1970
	trajo a los postrimeros acidentes.	
LIRA:	Amigo, ya el hablar no está en mi mano.	
SOLDADO:	¿Qué tan al cabo estás? ¿Qué tal te sientes?	
	Lleva a tu hermano, que es de menos carga.	
	Yo a tu esposo, que es más peso y carga.	1975

(Llevan los cuerpos, y sale una mujer armada con una lanza en la mano y un escudo, que significa la GUERRA, y trae consigo la ENFERMEDAD y la HAMBRE: la ENFERMEDAD arrimada a una muleta y rodeada de paños la cabeza, con una máscara amarilla; y la HAMBRE saldrá con un desnudillo de muerte, y encima una ropa de bocací amarilla, y una máscara descolorida.)

GUERRA:	Hambre, Enfermedad, ejecutores	
	de mis terribles mandos y severos,	
	de vidas y salud consumidores,	
	con quien no vale ruego, mando o fieros,	
	pues ya de mi intención sois sabidores,	1980
	no hay para qué de nuevo encareceros	
	de cuánto gusto me será y contento	
	que luego luego hagáis mi mandamiento.	
	La fuerza incontrastable de los hados,	
	cuyos efetos nunca salen vanos,	1985
	me fuerzan que de mí sean ayudados	
	estos sagaces mílites romanos.	
	Ellos serán un tiempo levantados,	
	y abatidos también estos hispanos.	
	Pero tiempo vendrá en que yo me mude	1990
	y dañe al alto y al pequeño ayude.	
	Que yo, que soy la poderosa Guerra,	
	de tantas madres detestada en vano,	
	aunque quien me maldice a veces yerra,	
	pues no sabe el valor de esta mi mano,	1995

1979 *fieros*, 'amenazas'.
1980 *sois sabidores*, 'conocéis'.
1983 *luego luego*, 'enseguida'.
1987 *mílites*, 'soldados'.

264

sé bien que en todo el orbe de la tierra
seré llevada del valor hispano,
en la dulce ocasión que estén reinando
un Carlos, y un Filipo y un Fernando.

ENFERMEDAD: Si ya la Hambre, nuestra amiga querida,   2000
no hubiera tomado con instancia
a su cargo de ser fiera homicida
de todos cuantos viven en Numancia,
fuera de mí tu voluntad cumplida,
de modo que se viera la ganancia   2005
fácil y rica que el romano hubiera,
harto mejor de aquello que se espera.
Mas ella, en cuanto su poder alcanza,
ya tiene tal el pueblo numantino,
que de esperar alguna buena andanza   2010
le ha tomado las sendas y el camino.
Mas de el furor la rigurosa lanza,
la influencia del contrario sino,
le trata con tan áspera violencia
que no es menester hambre ni dolencia.   2015
El Furor y la Rabia, tus secuaces,
han tomado en su pecho tal asiento
que, cual si fuese de romanas haces,
cada cual de esa sangre está sediento.
Muertos, incendios, iras son sus paces.   2020
En el morir han puesto su contento
y, por quitar el triunfo a los romanos,
ellos mesmos se matan con sus manos.

HAMBRE: Volved los ojos y veréis ardiendo
de la ciudad los encumbrados techos.   2025
Escuchad los suspiros que saliendo
van de mill tristes, lastimados pechos.
Oíd la voz y lamentable estruendo
de bellas damas, a quien, ya deshechos
los tiernos miembros de ceniza y fuego,   2030
no valen padre, amigo, amor ni ruego.

1996   *si bien quento el orbe*, en M y SB. Así en S, y es lección preferida por SB.
1999   Debe de aludir a Carlos V, Felipe II y Fernando el Católico.
2000   El verso es una buena hipótesis de SB. M da *y nuestra amiga asida*, en que *asida*
      es enmienda y está ilegible. S da *nuestra amiga fida* y SB comenta, de modo
      inexacto, que falta una sílaba al verso. El verso de SB obliga una lectura forzada
      de *la Ham-bre*, para que el verso sea endecasílabo
2018   *haces*, 'tropas formadas en filas'.

Cual suelen las ovejas descuidadas,
siendo del fiero lobo acometidas,
andar aquí y allí descarrïadas
con temor de perder las simples vidas,   2035
tal niños y mujeres desdichadas,
viendo ya las espadas homicidas,
andan de calle en calle, ¡oh, hado insano!,
su cierta muerte dilatando en vano.
Al pecho de la amada y nueva esposa   2040
traspasa del esposo el hierro agudo.
Contra la madre, ¡nunca vista cosa!,
se muestra el hijo de piedad desnudo.
Y contra el hijo, el padre, con rabiosa
clemencia, levantado el brazo crudo,   2045
rompe aquellas entrañas que ha engendrado,
quedando satisfecho y lastimado.
No hay plaza, no hay rincón, no hay calle o casa
que de sangre y de muertos no esté llena.
El hierro mata, el duro fuego abrasa   2050
y el rigor ferocísimo condena.
Presto veréis que por el suelo rasa
está la más subida y alta almena,
y las casas y templos más preciados
en polvo y en cenizas son tornados.   2055
Venid. Veréis que en los amados cuellos
de tiernos hijos y mujer querida,
Teógenes afila agora y prueba en ellos
de su espada cruel corte homicida,
y cómo ya, después de muertos ellos,   2060
estima en poco la cansada vida,
buscando de morir un modo extraño
que causó en el suyo más de un daño.

GUERRA: Vamos, pues, y ninguno se descuide
de ejecutar por eso aquí su fuerza,   2065
y a lo que digo sólo atienda y cuide
sin que de mi intención un punto tuerza.

2034 M omite el verso. Así en S y en SB.
2038 *ande* en M. Así en S y SB.
2045 *crudo,* 'cruel'.
2052 *tasa* en M y SB. Así en S.
2053 *asta* en M y SB. Así en S.

(Vanse, y sale TEÓGENES con dos hijos pequeños, y una hija y su mujer.)

TEÓGENES: Cuando el paterno amor no me detiene
de ejecutar la furia de mi intento,
considerad, mis hijos, cuál me tiene   2070
el celo de mi honroso pensamiento.
Terrible es el dolor que se previene
con acabar la vida en fin violento,
y más el mío, pues al hado plugo
que ya sea de vosotros cruel verdugo.   2075
No quedaréis, ¡oh, hijos de mi alma!,
esclavos, ni el romano poderío
llevará de vosotros triunfo o palma,
por más que a sujetarnos alce el brío.
El camino, más llano que la palma,   2080
de nuestra libertad el cielo pío
nos ofrece y nos muestra, y nos advierte
que sólo está en las manos de la muerte.
Ni vos, dulce consorte, amada mía,
os veréis en peligros que romanos   2085
pongan en vuestro pecho y gallardía
los vanos ojos y las fieras manos.
Mi espada os sacará de esta agonía
y hará que sus intentos salgan vanos,
pues por más que codicia les atiza,   2090
triunfarán de Numancia hecha ceniza.
Yo soy, consorte amada, el que primero
di el parecer que todos pereciésemos
antes que al insufrible desafuero
del romano poder sujetos fuésemos.   2095
Y en el morir no pienso ser postrero,
ni lo serán mis hijos.

MUJER: ¿No podemos

2073   El verso falta en M. Así en S y SB.
2074   *plugo,* 'agradó, convino'.
2093   *pereciésemos.* M y SB dan *padezcamos.*
2095-2096   Faltan los dos versos en M. S los reconstruye así, leyendo *fuesemos,* en vez de *seamos,* conservado por SB. Seguimos el texto de S, por las rimas *-emos* y el sentido, que excluye la forma *padezcamos,* ya que la decisión es de *parecer,* no de *padecer.*
2097   *podamos* en M y SB. El sentido de la frase inclina a leer *podemos,* que coincide con las rimas *-emos* de los versos citados. Nos atenemos en la medida de lo posible a M, contando con las lecturas de S que mejoran la pertinencia del texto.

escaparnos, señor, por otra vía?
¡El cielo sabe si me holgaría!
Mas pues no puede ser, según yo veo,   2100
y está ya mi muerte tan cercana,
lleva de nuestras vidas tú el trofeo,
y no la espada pérfida romana.
Mas, ya que he de morir, morir deseo
en el sagrado templo de Diana.   2105
Allá nos lleva, buen señor, y luego
entréganos al hierro, al rayo, al fuego.

TEÓGENES: Ansí se haga, y no nos detengamos,
que ya a morir me incita el triste hado.

HIJO: Madre, ¿por qué lloráis? ¿Adónde vamos?   2110
Teneos, que andar no puedo de cansado.
Mejor será, mi madre, que comamos,
que la hambre me tiene fatigado.

MUJER: Ven en mis brazos, hijo de mi vida,
do te daré la muerte por comida.   2115

(Vanse, y salen dos muchachos huyendo, y el uno de ellos es el que se arroja de la torre, que se llama BARIATO, y el otro SERVIO ***.)

BARIATO: ¿Dónde quieres que huyamos.
Servio?

SERVIO: Yo, por do quisieres.

BARIATO: Camina. ¡Qué flaco eres!
Tú ordenas que aquí muramos.
¿No ves, triste, que nos siguen   2120
dos mill hierros por matarnos?

SERVIO: Imposible es escaparnos
de aquellos que nos persiguen.
Mas, dí, ¿qué piensas hacer
o qué medio hay que nos cuadre?   2125

BARIATO: A una torre de mi padre
me pienso de ir a esconder.

SERVIO: Amigo, bien puedes irte,
que yo estoy tan flaco y laso

2109   Así en S y SB. Falta el verso en M.
***   En M y SB se dice *se arrojó de la torre*. En S: *se arroja de la torre, que se llama Viriato, y el otro Servio*. M llama, en los versos que siguen, Muchacho al personaje que nosotros identificamos como Bariato. Una producción de las dos fuentes deja el texto en la forma que reproducimos.

268

	de hambre, que un solo paso	2130
	no puedo dar, ni seguirte.	
BARIATO:	¿No quieres venir?	
SERVIO:	No puedo.	
BARIATO:	Si no puedes caminar,	
	ahí te habrá de acabar	
	la hambre, la espada o miedo.	2135
	Yo voyme, porque ya temo	
	lo que el vivir desbarata:	
	o que la espada me mata	
	o que en el fuego me quemo.	

(Vase el muchacho a la torre, y queda SERVIO, y sale TEÓGENES con dos espadas desnudas y ensangrentadas las manos, y como SERVIO le ve, huye y éntrase, y dice TEÓGENES:)

TEÓGENES:	Sangre de mis entrañas derramada,	2140
	pues sois aquella de los hijos míos;	
	mano, contra ti mesma acelerada,	
	llena de honrosos y crueles bríos;	
	fortuna, en daño mío conjurada;	
	cielos, de justa piedad vacíos,	2145
	ofrecedme, en tan dura, amarga suerte,	
	alguna honrosa, aunque cercana muerte.	
	Valientes numantinos, haced cuenta	
	que yo soy algún pérfido romano,	
	y vengad en mi pecho vuestra afrenta	2150
	ensangrentando en él espada y mano.	
	Una de estas espadas os presenta	
	mi airada furia y mi dolor insano,	
	que, muriendo en batalla, no se siente	
	tanto el rigor del último acidente.	2155
	El que privare del vital sosiego	
	al otro, por señal de beneficio	
	entregue el desdichado cuerpo al fuego,	
	que este será bien piadoso oficio.	
	Venid. ¿Qué os detenéis? Acudid luego.	2160
	Haced ya de mi vida sacrificio.	
	Y esta terneza que tenéis de amigos,	
	volved en rabia y furia de enemigos.	

2142 *acelerada*, 'que actúa con mucha presteza'.
2155 'la muerte'.

(Sale un numantino y dice:)

NUMANTINO:　　¿A quién, fuerte Teógenes, invocas?
　　　　　　　¿Qué nuevo modo de morir procuras?　　　2165
　　　　　　　¿Para qué nos incitas y provocas
　　　　　　　a tantas desiguales desventuras?

TEÓGENES:　　Valiente numantino, si no apocas
　　　　　　　con el miedo tus bravas fuerzas duras,
　　　　　　　toma esta espada y mátate conmigo　　　2170
　　　　　　　ansí como si fuese tu enemigo,
　　　　　　　que esta manera de morir me place
　　　　　　　en este trance más que no otra alguna.

NUMANTINO:　　También a mí me agrada y satisface,
　　　　　　　pues que lo quiere ansí nuestra fortuna.　　2175
　　　　　　　Mas vamos a la plaza, adonde yace
　　　　　　　la hoguera a nuestras vidas importuna,
　　　　　　　porque el que allí venciere, pueda luego
　　　　　　　entregar al vencido al duro fuego.

TEÓGENES:　　Bien dices. Y camina, que se tarda　　　2180
　　　　　　　el tiempo de morir como deseo,
　　　　　　　ora me mate el hierro, el fuego me arda,
　　　　　　　que gloria y honra en cualquier muerte veo.

*(Vanse, y sale CIPIÓN, y YUGURTA, y QUINTO FABIO, y MARIO, y
ERMILIO, y LIMPIO y otros soldados romanos.)*

CIPIÓN:　　　Si no me engaña el pensamiento mío
　　　　　　　o salen mentirosas las señales　　　　　2185
　　　　　　　que habéis visto en Numancia, del estruendo
　　　　　　　y lamentable son y ardiente llama,
　　　　　　　sin duda alguna que recelo y temo
　　　　　　　que el bárbaro furor del enemigo
　　　　　　　contra su propio pecho no se vuelva.　　　2190
　　　　　　　Ya no parece gente en la muralla
　　　　　　　ni suenan las usadas centinelas.
　　　　　　　Todo está en calma y en silencio puesto,
　　　　　　　como si en paz tranquila y sosegada
　　　　　　　estuviesen los fieros numantinos.　　　　2195

MARIO:　　　Presto podrás salir de aquesa duda,

2173　*en otra* en M y SB. Así en S.
2191　Así en S y SB. Falta en M.

270

	porque, si tú lo quieres, yo me ofrezco	
	de subir sobre el muro, aunque me ponga	
	al riguroso trance que se ofrece,	
	sólo por ver aquello que en Numancia	2200
	hacen nuestros soberbios enemigos.	
CIPIÓN:	Arrima, pues, ¡oh, Mario!, alguna escala	
	a la muralla, y haz lo que prometes.	
MARIO:	Id por la escala luego y vos, Ermilio,	
	haced que mi rodela se me traiga	2205
	y la celada blanca de las plumas,	
	que a fe que tengo de perder la vida	
	o sacar de esta duda al campo todo.	
ERMILIO:	Ves aquí la rodela y la celada.	
	La escala vesla allí. La trajo Limpio.	2210
MARIO:	Encomiéndome a Júpiter inmenso,	
	que yo voy a cumplir lo prometido.	
YUGURTA:	Alza más alta la rodela, Mario.	
	Encoge el cuerpo y cubre la cabeza.	
	¡Ánimo, que ya llegas a lo alto!	2215
	¿Qué ves?	
MARIO:	¡Oh, santos dioses! ¿Y qué es esto?	
YUGURTA:	¿De qué te admiras?	
MARIO:	De mirar de sangre	
	un rojo lago y de ver mill cuerpos	
	tendidos por las calles de Numancia,	
	de mill agudas puntas traspasados.	2220
CIPIÓN:	¿Que no hay ninguno vivo?	
MARIO:	Ni por pienso.	
	A lo menos, ninguno se me ofrece	
	en todo cuanto alcanzo con la vista.	
CIPIÓN:	Salta, pues, dentro, y mira, por tu vida.	
	Síguele tú también, Yugurta amigo.	2225

(Salta MARIO en la ciudad.)

	Mas sigámosle todos.	
YUGURTA:	No conviene	
	al oficio que tienes esta impresa.	
	Sosiega el pecho, general, y espera	
	que Mario vuelva, o yo, con la respuesta	
	de lo que pasa en la ciudad soberbia.	2230
	Tened bien esa escala. ¡Oh, cielos justos!	

¡Oh, cuán triste espetáculo y horrendo
se me ofrece a la vista! ¡Oh, caso extraño!
Caliente sangre baña todo el suelo.
Cuerpos muertos ocupan plaza y calles.   2235
Dentro quiero saltar y verlo todo.

(Salta YUGURTA *en la ciudad.)*

QUINTO FABIO: Sin duda que los fieros numantinos,
del bárbaro furor suyo incitados,
viéndose sin remedio de salvarse,
antes quisieron entregar las vidas   2240
al filo agudo de sus propios hierros
que no a las vencedoras manos nuestras,
aborrecidas de ellos lo posible.

CIPIÓN: Con uno solo que quedase vivo,
no se me negaría el triunfo en Roma   2245
de haber domado esta nación soberbia,
enemiga mortal de nuestro nombre,
constante en su opinión, presta, arrojada
al peligro mayor y duro trance,
de quien jamás se alabará romano   2250
que vio la espalda vuelta a numantino,
cuyo valor, cuya destreza en armas
me forzó con razón a usar el medio
de encerrallos cual fieras indomables
y triunfar de ellos con industria y maña,   2255
pues era con las fuerzas imposible.
Pero ya me parece vuelve Mario.

(Torna a salir MARIO *por la muralla, y dice:)*

MARIO: En balde, ilustre general prudente,
han sido nuestras fuerzas ocupadas.
En balde te has mostrado diligente,   2260
pues en humo y en viento son tornadas
las ciertas esperanzas de vitoria,
de tu industria contino aseguradas.
Del lamentable fin la triste historia

2264 *en lamentable*, en M y SB; *el lamentable*, en S; *la triste*, en M y SB. Así en S.
Como la corrección de S deja sin sentido el verso 2266, preferimos seguir a M y
SB, con la modificación del primer *en*, leyendo *del* por imposición del sentido.

de la ciudad invicta de Numancia   2265
merece ser eterna la memoria.
Sacado han de su pérdida ganancia.
Quitádote han el triunfo de las manos,
muriendo con magnánima constancia.
Nuestros disinios han salido vanos,   2270
pues ha podido más su honroso intento
que toda la potencia de romanos.
El fatigado pueblo, en fin violento
acaba la miseria de su vida,
dando triste remate al largo cuento.   2275
Numancia está en un lago convertida
de roja sangre, y de mill cuerpos llena,
de quien fue su rigor propio homicida.
De la pesada y sin igual cadena
dura de esclavitud se han escapado   2280
con presta audacia, de temor ajena.
En medio de la plaza levantado
está un ardiente fuego temeroso,
de sus cuerpos y haciendas sustentado.
Al tiempo llegué a verlo, que el furioso   2285
Teógenes, valiente numantino,
de fenecer su vida deseoso,
maldiciendo su corto, amargo sino,
en medio se arrojaba de la llama,
lleno de temerario desatino.   2290
Y al arrojarse, dijo: «¡Clara fama,
ocupa aquí tus lenguas y tus ojos
en esta hazaña, que a contar te llama!
¡Venid, romanos, ya por los despojos
d'esta ciudad, en polvo y humo vueltos,   2295
y sus flores y frutos en abrojos!»
De allí, con pies y pensamientos sueltos,
gran parte de la tierra he rodeado
por las calles y pasos más revueltos,
y un solo numantino no he hallado   2300
que poderte traer vivo siquiera,
para que fueras d'él bien informado
por qué ocasión, de qué suerte o manera
cometieron tan grande desvarío

2270 *disinios*, 'designios'.

	apresurando la mortal carrera.	2305
CIPIÓN:	¿Estaba, por ventura, el pecho mío	
	de bárbara arrogancia y muertes lleno	
	y de piedad justísima vacío?	
	¿Es de mi condición, por dicha, ajeno	
	usar benignidad con el rendido,	2310
	como conviene al vencedor que es bueno?	
	¡Mal, por cierto, tenían conocido	
	el valor en Numancia de mi pecho,	
	para vencer y perdonar nacido!	
QUINTO FABIO:	Yugurta te hará más satisfecho,	2315
	señor, de aquello que saber deseas,	
	que vesle vuelve lleno de despecho.	

(Asómase YUGURTA a la muralla.)

YUGURTA:	Prudente general, en vano empleas	
	más aquí tu valor. Vuelve a otra parte	
	la industria singular de que te arreas.	2320
	No hay en Numancia cosa en que ocuparte.	
	Todos son muertos, y sólo uno creo	
	que queda vivo para el triunfo darte,	
	allí en aquella torre, según veo.	
	Yo vi denantes un muchacho. Estaba	2325
	turbado en vista y de gentil arreo.	
CIPIÓN:	Si eso fuese verdad, eso bastaba	
	para triunfar en Roma de Numancia,	
	que es lo que más agora deseaba.	
	Lleguémonos allá y haced instancia	2330
	como el muchacho venga a aquestas manos	
	vivo, que es lo que agora es de importancia.	

(Dice BARIATO, muchacho, desde la torre:)

BARIATO:	¿Dónde venís o qué buscáis, romanos?	
	Si en Numancia queréis entrar por suerte,	
	haréislo sin contraste, a pasos llanos.	2335

2310 *benignidad* en M y SB. Así en S.
2325 *denantes*, 'antes'.
2330 *haced instancia*, 'instad'.
2331 *vuelva a nuestras manos*, en S. Conservamos, con la introducción de *a*, que podría ir integrada en el demostrativo *aquestas*. Nos parece más lógica esta lectura. El muchacho no puede *volver* a unas manos que nunca le han poseído.
2334 *fuerte*, en M y SB. Así en S.
2335 *contraste*, 'lucha, oposición'.

	Pero mi lengua desde aquí os advierte	
	que yo las llaves mal guardadas tengo	
	d'esta ciudad, de quien trunfó la muerte.	
CIPIÓN:	Por esas, joven, deseoso vengo,	
	y más de que tú hagas insperiencia,	2340
	si en este pecho pïedad sostengo.	
BARIATO:	¡Tarde, cruel, ofreces tu clemencia,	
	pues no hay con quien usarla. Que yo quiero	
	pasar por el rigor de la sentencia	
	que, con suceso amargo y lastimero,	2345
	de mis padres y patria tan querida	
	causó el último fin terrible y fiero!	
QUINTO FABIO:	Dime, ¿tienes, por suerte, aborrecida,	
	ciego de un temerario desvarío,	
	tu floreciente edad y tierna vida?	2350
CIPIÓN:	Tiempla, pequeño joven, templa el brío.	
	Sujeta el valor tuyo, que es pequeño,	
	al mayor de mi honroso poderío,	
	que desde aquí te doy la fe y empeño	
	mi palabra, que sólo de ti seas	2355
	tú mismo propio el conocido dueño,	
	y que de ricas joyas y preseas	
	vivas, lo que vivieres, abastado,	
	como yo podré darte y tú deseas,	
	si a mí te entregas y te das de grado.	2360
BARIATO:	Todo el furor de cuantos ya son muertos	
	en este pueblo, en polvo reducido,	
	todo el huir los pactos y conciertos	
	ni el dar a sujeción jamás oído,	
	sus iras, sus rancores descubiertos,	2365
	está en mi pecho solamente unido.	
	Yo heredé de Numancia todo el brío.	
	Ved, si pensáis vencerme, es desvarío.	
	Patria querida, pueblo desdichado,	
	no temas ni imagines que me admire	2370
	de lo que debo ser, de ti engendrado,	
	ni que promesa o miedo me retire,	

2338   *trunfó*, 'triunfó'.
2340   *experiencia*, en S. Así en M y SB.
2351   *tiempla*, 'templa'.
2358   *abastado*, 'abastecido'.
2365   *rancores*, 'rencores'.

ora me falte el suelo, el cielo, el hado,
ora vencerme todo el mundo aspire.
Que imposible será que yo no haga   2375
a tu valor la merecida paga.
que si a esconderme aquí me trujo el miedo
de la cercana y espantosa muerte,
ella me sacará con más denuedo,
con el deseo de seguir tu suerte.   2380
De vil temor pasado, como puedo,
será la enmienda agora osada y fuerte,
y el temor de mi edad tierna, inocente,
pagará con morir osadamente.
Yo os aseguro, ¡oh, fuertes ciudadanos!,   2385
que no falte por mí la intención vuestra
de que no triunfen pérfidos romanos,
si ya no fuere de ceniza nuestra.
Saldrán conmigo sus intentos vanos,
ora levanten contra mí su diestra   2390
o me aseguren, con promesa incierta,
a vida y a regalos ancha puerta.
Tened, romanos, sosegad el brío
y no os canséis en asaltar el muro.
Con que fuera mayor el poderío   2395
vuestro, de no vencerme os aseguro.
Pero muéstrese ya el intento mío
y, si ha sido el amor perfeto y puro
que yo tuve a mi patria tan querida,
asegúrelo luego esta caída.   2400

(Arrójose el muchacho de la torre, y suena una trompeta, y sale la
FAMA, *y dice* CIPIÓN:

CIPIÓN: ¡Oh, nunca vi tan memorable hazaña,
niño de anciano y valeroso pecho,
que, no sólo a Numancia, mas a España
has adquirido gloria en este hecho!
Con tal vida y virtud heroica extraña,   2405

2377 *trujo*, 'trajo'.
2387 Así en S y SB. Falta el verso en M.
2395 *Con que*, 'aunque'.
2396 *estad seguro*, en M y SB. Por la inconsecuencia en la concordancia de *seguro*
      referido a *romanos*, preferimos la lección de S.

queda muerto y perdido mi derecho.
Tú con esta caída levantaste
tu fama y mis vitorias derribaste.
Que fuera viva y en su ser Numancia,
sólo porque vivieras me holgara.   2410
Tú solo me has llevado la ganancia
d'esta larga contienda, ilustre y rara.
Lleva, pues, niño, lleva la ganancia
y la gloria que el cielo te prepara
por haber, derribándote, vencido   2415
al que, subiendo, queda más caído.

(Entra la FAMA, *vestida de blanco, y dice:)*

FAMA: Vaya mi clara voz de gente en gente,
            y en dulce y suave son, con tal sonido
            llene las almas de un deseo ardiente
            de eternizar un hecho tan subido.   2420
            Alzad, romanos, la inclinada frente.
            Llevad de aquí este cuerpo, que ha podido,
            en tan pequeña edad, arrebataros
            el triunfo que pudiera tanto honraros,
            que yo, que soy la Fama pregonera,   2425
            tendré cuidado, cuanto el alto cielo
            moviere el paso en la subida esfera,
            dando fuerza y vigor al bajo suelo,
            a publicar con lengua verdadera,
            con justo intento y presuroso vuelo,   2430
            el valor de Numancia único, solo,
            de Batria a Tile, de uno a el otro polo.
            Indicio ha dado esta no vista hazaña
            del valor que los siglos venideros
            tendrán los hijos de la fuerte España, 2435
            hijos de tales padres herederos.
            No de la muerte la feroz guadaña
            ni los cursos de tiempos tan ligeros,
            harán que de Numancia yo no cante

2417   *de en jente en jente,* en M y SB. Así en S.
2432   SB sugiere *Batria,* de difícil identificación. *Tile* o Tule, era una isla celebrada del
       mar del norte, descubierta por el navegante Píteas. Es la tierra más nórdica,
       para los antiguos. En gótico, Tiel o Tiule indican 'tierra remota'. Cervantes alu-
       de, con los dos topónimos, a los extremos del mundo conocido.

el fuerte brazo y ánimo constante.   2440
Hallo sólo en Numancia todo cuanto
debe con justo título cantarse,
y lo que puede dar materia al canto
para poder mill siglos ocuparse:
la fuerza no vencida, el valor tanto,   2445
digno de en prosa y verso celebrarse.
Mas, pues d'esto se encarga la memoria,
demos feliz remate a nuestra historia.

FINIS

2443 *canto*, en M y SB; *llanto* en S. Es lección preferida por SB.
2446 *de prosa y verso*, en M y SB. Así en S.
2448 *felis*, en M y SB.

* José Zorrilla: *Don Juan Tenorio / El puñal del Godo*
* Gustavo A. Bécquer: *Rimas y leyendas*
* Rosalía de Castro: *Antología poética*
* Fernán Caballero: *La Gaviota*
* Juan Valera: *Pepita Jiménez*
* Benito Pérez Galdós: *Doña Perfecta*
* José María de Pereda: *Peñas arriba*
* Emilia Pardo Bazán: *Los pasos de Ulloa*
* Leopoldo Alas (Clarín): *La Regenta*
* Domingo F. Sarmiento: *Facundo*
* José Hernández: *Martín Fierro*
* Jorge Isaacs: *María*
* Rubén Darío: *Antología poética*
* Miguel de Unamuno: *San Manuel bueno, mártir y otros ensayos*
* Azorín: *Castilla*
* Pío Baroja: *Camino de perfección*
* Ramón M. de Valle Inclán: *Sonata de primavera*
* Jacinto Benavente: *Los intereses creados / Señora ama*
* Antonio Machado: *Antología poética*
* Juan Ramón Jiménez: *Antología poética*
* José Ortega y Gasset: *La deshumanización del arte*
* Federico García Lorca: *La casa de Bernarda Alba / Yerma*
* Vicente Aleixandre: *Antología poética*
* Camilo José Cela: *La familia de Pascual Duarte*
* Antonio Buero Vallejo: *Teatro*
* Pablo Neruda: *Canto general*
* Jorge L. Borges: *Antología*

Serie: CLASICOS EXTRANJEROS

* Homero: *Ilíada*
* Homero: *Odisea*
* Esquilo-Sófocles-Eurípides: *Tragedias* (I)
* Esquilo-Sófocles-Eurípides: *Tragedias* (II)
* Aristófanes: *Comedias*
* Platón: *Diálogos*